CARTE ET BOUSSOLE

Couverture

- Maquette:
  GAÉTAN FORCILLO

Maquette intérieure

- Conception graphique:
  GAÉTAN FORCILLO
- Illustrations:
  Newt Heisley and Associates
- Cartes topographiques:
  U.S. Geological Survey
  et Orienteering Services

DISTRIBUTEURS EXCLUSIFS:

- Pour le Canada:
  AGENCE DE DISTRIBUTION POPULAIRE INC.*
  955, rue Amherst, Montréal H2L 3K4 (tél.: 514-523-1182)
  *Filiale de Sogides Ltée
- Pour la France et l'Afrique:
  INTER-FORUM
  13, rue de la Glacière, 75013 Paris (tél.: 570-1180)
- Pour la Belgique, la Suisse, le Portugal, les pays de l'Est:
  S.A. VANDER
  Avenue des Volontaires 321, 1150 Bruxelles (tél.: 02-762-0662)

Björn Kjellström

CARTE ET BOUSSOLE

Préface de Paul Provencher

*LES ÉDITIONS DE L'HOMME**

CANADA: 955, rue Amherst, Montréal H2L 3K4

*Division de Sogides Ltée

Orienteering ® est un néologisme enregistré aux Etats-Unis et au Canada pour désigner les services et les produits offerts par Orienteering Services/ U.S.A. et par Orienteering Services/ Canada dont vous trouverez les adresses à la fin du volume.

D 1968/0109/17
1ère édition 1968

L'édition originale de cet ouvrage a été publiée en anglais sous le titre *Be Expert with Map and Compass, The Orienteering Handbook,* par Charles Scribner's Sons.

Bibliothèque nationale du Québec
Dépôt légal — 2e trimestre 1978

ISBN-0-7759-0590-9

PRÉFACE

"Dites-vous bien une chose, affirme Björn Kjellström dans Carte et boussole. Il est impossible que vous vous perdiez avec une carte et une boussole en main, si vous vous donnez la peine de réfléchir bien posément." Et pourtant, en 1978 encore malheureusement, un grand nombre de sportifs, de pêcheurs, de chasseurs et d'amateurs de vie en plein air s'aventurent dans la nature et plus spécialement en forêt, sans carte, sans boussole, sans la moindre notion d'orientation, bref, dans la plus complète insouciance des dangers auxquels ils s'exposent.

Ce livre m'a justement remis en mémoire une mésaventure qui avait bien failli tourner au drame. C'était en 1945. Le gardien d'une tour à feu de la région de la Manicouagan (la tour à feu Tabouret, si je me souviens bien) s'égara en forêt. Un de mes explorateurs le retrouva, après onze jours de recherches intensives: rendu à la dernière extrémité, les yeux enflés par les piqûres de moustiques, le corps couvert de plaies purulentes et nauséabondes, entouré d'un nuage de mouches, il était étendu presque nu dans la mousse au pied d'une épinette, geignant faiblement. Scène pitoyable... Deux jours plus tard nous l'aurions retrouvé mort, nous assura le médecin.

L'individu qui prend conscience qu'il s'est perdu reçoit un choc violent qui le prive de ses facultés intellectuelles. Avant même d'être épuisé physiquement, il l'est moralement. Les symptômes de son égarement ressemblent à ceux de la folie. Hanté par la peur de l'inconnu et de la mort, il s'affole, tourne en rond, commet des gestes imprudents, abandonne toute logique et se jette à corps perdu dans les solutions les plus extravagantes. Le coeur serré dans un étau, il perd complètement l'appétit et devient la proie de visions cauchemardesques.

Voilà un genre de récit qu'il m'a été donné d'entendre maintes fois et, si je n'ai rien vécu d'aussi dramatique, la fâcheuse aventure qui m'est arrivée, il y a bien des années, n'en a pas moins été instructive. Je faillis y perdre la confiance de mon chef et l'estime de mes camarades et j'y laissai un peu de mon orgueil. Jeune ingénieur forestier, j'étais chargé d'aller chercher le courrier de l'autre côté du lac où nous avions notre campement. Le temps était brumeux et je fis la bêtise de laisser ma carte et ma boussole dans ma tente. J'avironnai pendant cinq heures — quatre heures de trop — pour finalement revenir... à mon point de départ, et sans courrier.

Imaginez mon humiliation et les railleries de mes compagnons. Blessé dans mon amour-propre, mais ayant compris la leçon pour la vie, j'allai chercher carte et boussole dans ma tente, repris mon canot et disparus dans la brume à grands coups d'aviron. Une heure plus tard, j'étais de retour avec lettres et journaux.

Le livre de Björn Kjellström est rédigé dans une perspective bien spécifique: celle des courses d'orientation. Mais il vise aussi à rendre indépendants et autonomes ceux qui s'aventurent seuls dans la nature en leur enseignant l'utilisation de la carte et de la boussole. Il leur offre ainsi la joie des excursions, l'intimité avec la nature et une connaissance plus profonde du monde où ils vivent, et de l'immense pays qui est le leur. Je souhaite que ce livre se retrouve dans toutes nos écoles, du primaire à l'université.

Paul Provencher

AVANT-PROPOS

Ce manuel d'orientation est le résultat de plusieurs années d'expériences personnelles, aussi bien par l'enseignement que par la participation à des compétitions d'orientation internationales.

Mon intérêt pour l'orientation prit naissance en 1928, époque à laquelle mes frères, qui étaient déjà très versés dans ce sport en Suède, le pays où je suis né, m'y initièrent. Lors de ma première course en compétition, dans la catégorie débutants, je finis dernier. Quelques mois plus tard, lors d'un championnat, je portais mon équipe à la première place. Je pense que c'est cet exploit qui fit de moi un amateur d'orientation pour la vie et, par le fait même, un apôtre de la course d'orientation. Après plusieurs tournées de propagande dans différents pays, j'introduisis cette activité sportive aux Etats-Unis en 1946 et au Canada en 1948. Depuis 20 ans, sa progression en Amérique du Nord fut lente mais sûre, et ce n'est que depuis les dernières années qu'elle a pris de l'ampleur. C'est un des sports qui se développent le plus actuellement sur notre continent.

Beaucoup de personnes et d'organismes ont contribué à faire de ce livre ce qu'il est. Je tiens à rendre un hommage particulier à William Hillcourt, le "Green Bar Bill" des Boy Scouts of America et du *Boy Life Magazine,* spécialiste bien connu de la vie en plein air, qui m'a guidé par ses écrits.

Je voudrais aussi remercier les organismes et services suivants qui ont également contribué à l'essor du sport d'orientation: American Association for Health, Physical Education and Recreation; National Recreation Association; American Camping Association; Boy Scouts of America; Canadian Boy Scouts Association; Girl Scouts of the USA; International Orienteering Federation; United States Orienteering Federation; National Cartographic Information Center of Geological Survey; U.S. Department of the Interior; Department of Education, Ontario, Canada; Department of National Health and Welfare, Physical Fitness Division, Ottawa, Canada; U.S. Army Infantry School; U.S. Air Force Academy; The Physical Fitness Academy of the U.S. Marine Corps.

Note au lecteur

Depuis sa publication en 1955, la première édition de ce livre en anglais a été vendue à plus d'un quart de million d'exemplaires. Les éditions française et italienne ont également connu un grand succès. Aussi, vu la date de la première publication et le besoin grandissant d'information sur l'orientation, une mise au jour s'avérait nécessaire.

L'information concernant l'utilisation de la carte et de la boussole demeure la même, mais la partie traitant du sport d'orientation a été actualisée et augmentée en conséquence. Les lecteurs qui désireraient en savoir davantage sur la formation pratique, l'organisation des compétitions, la réalisation d'une carte ou qui voudraient obtenir des références bibliographiques, peuvent s'adresser à Canadian Orienteering Québec.

INTRODUCTION

D'année en année, les citadins sont de plus en plus attirés par la vie au grand air. Les routes sont encombrées de véhicules, les parcs regorgent de monde, les sentiers sont parcourus par les excursionnistes et les campeurs.

La plupart de ces touristes se dirigent en se fiant aux indications routières, numéros de routes et poteaux indicateurs, mais, que vous suiviez les grandes routes ou, qu'au contraire, vous préfériez les sentiers écartés, vos excursions vous procureront infiniment plus de plaisir si vous vous familiarisez avec l'usage de la carte et de la boussole.

"Mais pourquoi, direz-vous, avoir recours à une carte et une boussole, alors que les routes sont numérotées et les sentiers bien indiqués?"

Parce que, de nos jours, l'art de se repérer sur une carte fait partie des connaissances de base de chacun, que ce soit en auto, pour aider un touriste égaré ou pour situer les évènements qui se déroulent dans notre pays et à travers le monde.

Parce que le fait de savoir utiliser une boussole est une technique qui vous rend plus indépendant et vous donne plus d'assurance lors de vos déplacements et excursions en plein air.

Parce que l'emploi combiné de la carte et de la boussole en voyage ou à la campagne vous permet d'explorer de nouveaux horizons vers lesquels vous n'auriez pas osé vous aventurer auparavant. Seul ou en groupe, pour votre plaisir ou en compétition, avec carte et boussole, vous saurez toujours trouver votre chemin .

D'ailleurs, de nombreuses professions exigent la connaissance de la carte et de la boussole: gardes-forestiers, géomètres-arpenteurs, ingénieurs, prospecteurs, militaires les utilisent constamment. Pour ce qui est des navigateurs de plaisance, ils devraient en posséder à fond les techniques.

Quant aux chasseurs, aux pêcheurs, aux campeurs, la maîtrise de la carte et de la boussole leur permettra de se diriger vers le terrain le plus giboyeux ou le lac le plus poissonneux ou encore de s'aventurer au coeur de la nature sauvage sans crainte de s'égarer.

Si vous êtes chef scout, éclaireur, moniteur ou enseignant, l'étude et l'usage de la carte et de la boussole vous serviront à organiser nombre de jeux intéressants, aussi bien à l'intérieur qu'à l'extérieur.

Aux sportifs qui pratiquent la course à pied, ces techniques permettront de choisir leur itinéraire, d'éviter les obstacles et de déterminer le chemin le plus court.

Mais le présent volume ne vise pas seulement à expliquer les techniques de base de l'orientation. Il a également pour but de présenter aux lecteurs l'orientation en tant que sport compétitif dans ses principes et ses techniques. La dernière partie lui est consacrée.

Accessible à tous, jeunes et vieux, ne nécessitant que le minimum d'équipement, le sport d'orientation est une activité saine qui permet de découvrir par soi-même le monde où on vit et inculque à ceux qui le pratiquent le désir et la détermination de protéger la nature et les ressources naturelles.

La carte

L'un des contes arabes des *Mille et Une Nuits* nous raconte comment l'heureux propriétaire d'un tapis magique n'avait qu'à prononcer une formule magique pour que son tapis s'élève dans l'espace et le transporte là où il désirait aller.

Imaginez-vous voyageant au-dessus de la terre sur un pareil tapis, ou encore à bord d'un avion, son équivalent moderne. C'est une journée ensoleillée. La visibilité est excellente. Le ciel est bleu. En bas, la terre s'étale sous vos yeux tel un damier multicolore. A première vue, tout vous paraît confus, mais bientôt certains détails se dessinent. Cette ligne droite, là-bas, ce doit être la route 20, la Transcanadienne. Voilà qu'elle traverse un large ruban tortueux; on dirait que c'est une rivière. Il vous est même possible de distinguer un pont. Ces rectangles, ce sont les toits des maisons; ces masses vert sombre, des forêts bien sûr. Les choses paraissent bien différentes sous cet angle inaccoutumé, pourtant vous les reconnaissez dans leurs dimensions réduites.

QU'EST-CE QU'UNE CARTE?

Si, de là-haut, vous preniez un instantané de ce que vous voyez sur la terre et si vous en faisiez un agrandissement, vous auriez une carte photographique de la région au-dessus de laquelle vous volez, avec des tas de détails confus sur les bords, des déformations causées par la perspective, mais une carte quand même: c'est-à-dire *la représentation à échelle réduite d'une partie de la surface du globe terrestre.*

Le cartographe moderne utilise des photographies aériennes pour établir ses cartes et l'arpenteur se charge de vérifier les données sur le terrain. Dans la carte définitive, il schématise les détails en utilisant des signes conventionnels. De plus, il supprime les effets de perspective de sorte que la région représentée sur la carte a exactement l'aspect qu'elle aurait si vous la survoliez et si vous la regardiez verticalement. Toutes les distances d'un point à un autre sur la carte sont proportionnellement les mêmes que dans le paysage.

Cartes routières

Parmi toutes les cartes qui existent, c'est peut-être la carte routière, prise à votre station-service, que vous connaissez le mieux. La majorité de ces cartes couvrent une région ou une province; certaines représentent seulement une ville et ses alentours ou une capitale.

Ces cartes sont conçues pour vous permettre de vous diriger d'une ville à une autre. Elles sont planimétriques, (du latin *planum,* terrain plat, et *metria,* distance) c'est-à-dire qu'elles ne donnent aucune information quant au relief. Elles ne peuvent donc être utilisées pour le sport d'orientation.

Cartes topographiques

Les cartes qui vous seront le plus utile s'appellent des *cartes topographiques,* du grec *topos,* lieu et *graphein* qui veut dire "décrit" ou "dessiné", c'est-à-dire le dessin d'un endroit ou d'une région.

On peut se procurer des cartes topographiques auprès de services spéciaux au Canada, aux Etats-Unis et en Europe.

Au Canada, elles sont dressées par la Direction des levés et de la cartographie, Ministère des Mines et des Relevés techniques à Ottawa. Aux Etats-Unis, par U.S. Geological Survey of the Department of the Interior.

Echelles

Chaque carte topographique est dessinée à une échelle

déterminée. Cette échelle correspond à une distance sur la carte proportionnelle à la distance réelle sur le terrain. En d'autres termes, la distance entre deux points sur le terrain a été réduite afin de la reproduire sur la carte. Dans le but de simplifier l'utilisation des cartes, l'échelle a été conçue afin qu'il soit facile de mesurer des distances sur la carte en employant les mesures qui vous sont familières: une unité sur la carte représente tant d'unités sur le terrain, un pouce tant de pouces.

Au Québec, les échelles le plus généralement employées sont le 1:50 000 et le 1:250 000. Il existe aussi des cartes au 1:25 000.*

Sur les cartes, les rapports d'échelle sont exprimés en fractions:

1:25 000 ou $\frac{1}{25\,000}$ 1:50 000 ou $\frac{1}{50\,000}$ et 1:250 000 ou $\frac{1}{250\,000}$

Plus la fraction sera grande (la fraction 1 divisé par 25 000 est plus grande que 1 divisé par 250 000) plus les détails représentés sur la carte seront précis et en évidence. Inversement, plus la fraction sera petite (1 divisé par 250 000 est plus petit que 1 divisé par 25 000) plus les détails représentés sur la carte seront réduits.

Cartes au 1:250 000

L'échelle d'un pouce pour 250 000 pouces correspond à peu près à une échelle d'un pouce pour quatre milles. Le chiffre exact serait 253 440, ce qui compliquerait beaucoup la tâche des arpenteurs et des cartographes.

* Les rapports d'échelle peuvent changer d'un pays à l'autre. Par exemple, aux Etats-Unis, les échelles sont le 1:24 000, le 1:62 500 et le 1:250 000. La carte-modèle de la page 220 est une carte américaine au 1:24 000. Nous y référerons constamment lors des exercices.

Une carte à cette échelle vous donnera une idée générale de la configuration géographique de la région qui vous intéresse. Elle vous aidera à découvrir des centres d'intérêt sur une distance de cent milles et elle vous sera très utile lorsque vous projetterez un voyage ou une excursion.

Cartes au 1:50 000

Les cartes au 1:50 000 représentent pour leur part des régions d'intérêt public moyen. Si vous désirez connaître davantage une région particulière ou si vous pensez vous adonner au sport d'orientation, une carte au 1:50 000 vous sera très utile.

Cartes au 1:25 000

Si vous choisissez le pouce (cm) comme unité de longueur, 1 pouce (cm) sur votre carte correspond à 25 000 pouces (cm) sur le terrain. Les cartes au 1:25 000 couvrent généralement des territoires d'intérêt public et des zones urbaines. Pour l'instant, il en existe très peu au Québec.

Vous pouvez vous procurer des cartes topographiques auprès du Service de distribution des cartes, Ministère des Mines et des Relevés techniques à Ottawa, ou auprès des distributeurs régionaux.

QUELLES INDICATIONS LA CARTE NOUS FOURNIT-ELLE?

La carte est le "livre" du voyageur. Si vous savez comment vous y prendre, une carte se lit aussi facilement qu'un livre. Elle vous renseignera sur la configuration géographique de la région que vous avez l'intention de parcourir. Elle le fera par le moyen de cinq catégories d'informations, les cinq D: description, détails, directions, distances, dénomination.

Les cartes au 1: 250 000 vous aideront à choisir de nouveaux endroits à explorer. Comparez le petit rectangle à gauche avec les deux autres.

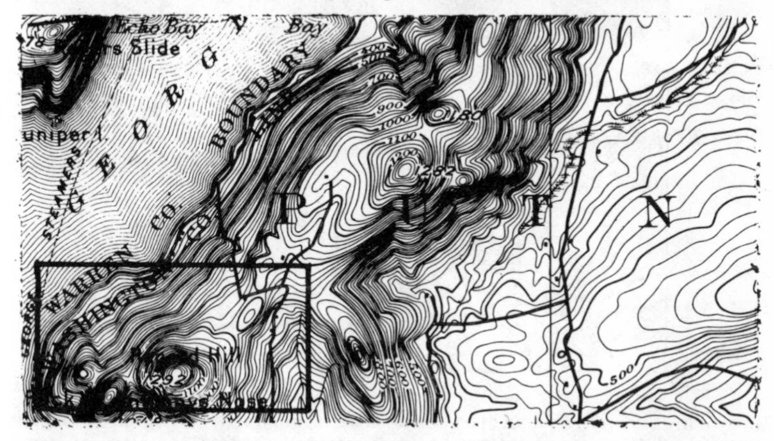

Les cartes au 1: 62 500 vous fourniront une représentation plus précise du terrain. Comparez le rectangle du bas à gauche avec celui du haut. (Au Québec, l'échelle utilisée est le 1: 50 000.)

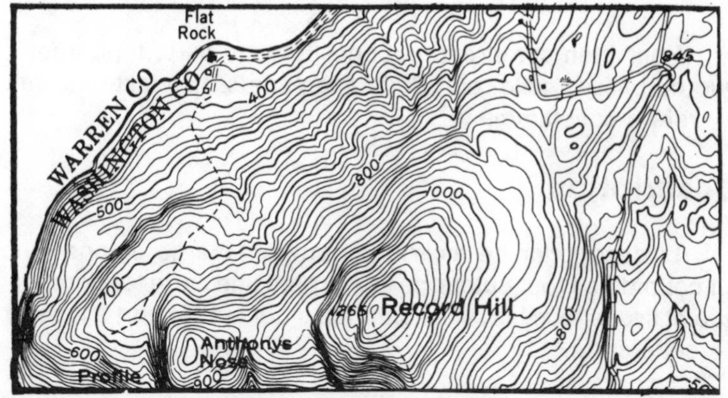

En principe, les cartes au 1: 24 000 sont celles qui conviennent le mieux à la pratique de l'orientation en raison des nombreux détails qui y figurent, mais les cartes au 1: 25 000 (échelle utilisée au Québec) sont rares. Comparez cette carte avec les deux autres.

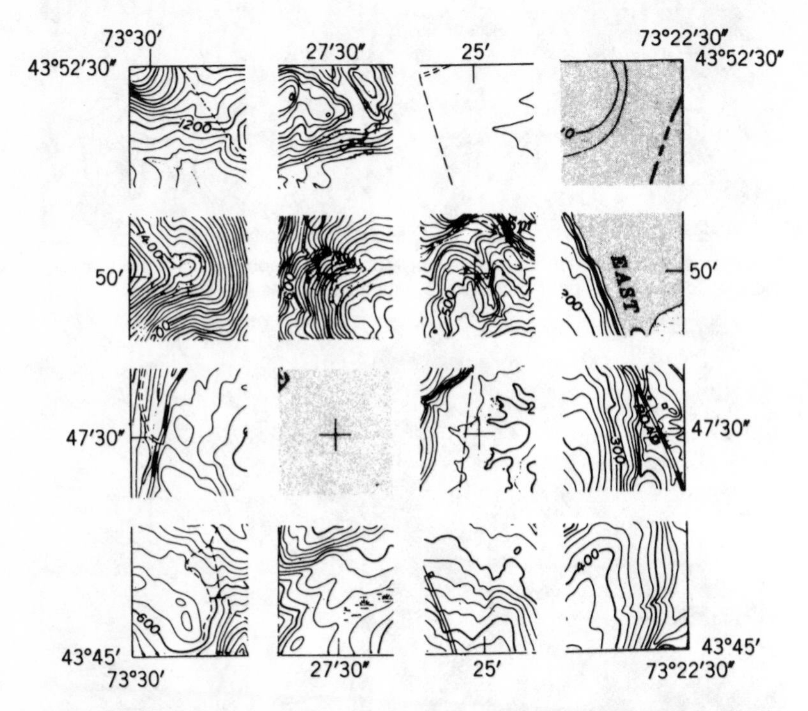

Les chiffres en noir, en haut et en bas de la carte, indiquent les degrés de longitude; les chiffres sur les côtés sont les degrés de latitude. Généralement, des marques en forme de croix indiquent l'intersection de lignes conjointes.

Pour bien comprendre, consultez une carte topographique ou utilisez celle reproduite à la page220.Le texte qui suit s'y refère constamment.

Description

La description de la carte se trouve en marge. Jetons donc un coup d'oeil tout autour de la marge d'une carte topographique et lisons tous les renseignements qui ont rapport à l'usage de cette carte.

Nom du territoire

Dans la marge du bas, au centre, est imprimé le nom de la particularité principale de la carte: ville, lac, montagne ou quelque autre caractéristique. C'est le nom qui correspond au numéro du quadrilatère que vous avez mentionné en commandant la carte. Ce nom est répété dans le bas, à droite, avec le numéro de la carte.

Situation

Votre carte est une reproduction à échelle réduite d'un territoire de notre globe terrestre. Où donc se situe ce territoire sur la carte du monde? Votre carte vous l'indiquera.

Directement en haut et en bas de la ligne qui encadre la surface de la carte sont imprimés en noir des petits chiffres et des traits minuscules qui pénètrent dans la carte. On retrouve des chiffres et des traits semblables sur les côtés de la carte. (Ne pas confondre avec les chiffres et les quadrillages en bleu.) Grâce à ces chiffres et à ces traits vous pourrez trouver l'emplacement exact de votre région sur le globe terrestre.

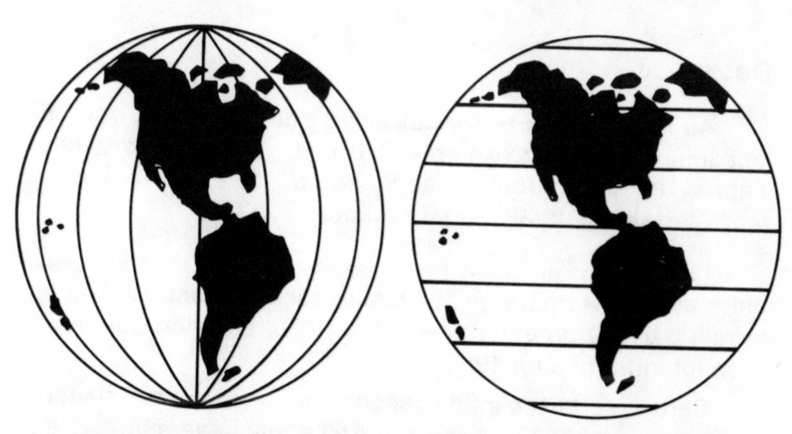

Les méridiens sont des lignes nord-sud qui joignent les pôles. Ils nous donnent la longitude d'un lieu. Les parallèles sont des lignes est-ouest parallèles à l'équateur. Ils nous donnent la latitude d'un lieu.

Si vous prolongez les petits traits du haut jusqu'aux lignes minuscules du bas, vous tracez des *méridiens,* c'est-à-dire des lignes qui, étirées, joindraient le Pôle nord et le Pôle sud.

Les chiffres en regard de ces traits indiquent la longitude. Elle s'exprime en degrés, de zéro à 180 vers l'est et de zéro à 180 vers l'ouest, le zéro représentant le méridien origine qui passe par Grennwich en Angleterre.

Si vous prolongez les petits traits en partant d'un côté de la carte jusqu'aux lignes minuscules du côté opposé, vous tracez des lignes parallèles à l'équateur, des *parallèles.*

Les chiffres indiquent la latitude. Elle s'exprime en degrés, de zéro à 90 vers le nord et de zéro à 90 vers le sud, à partir de l'équateur.

Longitude, latitude, vous vous souviendrez plus facilement de ces mots en songeant à leur origine latine: *longitudo,* longueur et *latitudo,* largeur. Les Romains s'en servaient en s'inspirant de la forme de la Mer Méditerranée: les lignes qui la coupaient en longueur, longitude, et les lignes qui la coupaient en largeur, latitude.

Dates

Au bas de la carte sont inscrites quelques dates qui ont leur importance. Par exemple, à droite, l'indication: "Etablie d'après des photographies aériennes prises en 1942. Levés sur le terrain en 1949-1950. Imprimée en 1950."

La carte en question fut dressée d'après des photographies aériennes prises en 1942, puis tracée et contrôlée sur le terrain par des arpenteurs en 1949-1950. L'édition que vous avez fut imprimée en 1950.

Certes, certaines modifications ont pu s'opérer sur le territoire depuis 1968. S'il s'agit d'une ville, elle se sera probablement étendue, une route traversant une localité peut avoir été transformée en autoroute, les marais qui se trouvaient au nord de la ville ont peut-être été asséchés, on peut avoir construit un barrage sur une rivière, etc. Rappelez-vous donc que votre carte était correcte l'année où elle fut dressée et ne vous préoccupez pas trop des changements qui ont pu survenir depuis lors; cependant, souvenez-vous de cette possibilité de transformations lorsque vous entreprendrez un voyage dans cette région.

Détails — signes topographiques conventionnels

Pour représenter les accidents d'un paysage, on emploie différents signes, des *signes topographiques conventionnels.* Ces indications ou symboles constituent l'alphabet cartographique. Dans leur ensemble, ils décrivent la configuration du terrain. Ce ne sont pas des signes arbitraires. Bien au contraire, ceux qui les ont inventés se sont efforcés de faire en sorte que, graphiquement, ils ressemblent aux phénomènes qu'ils représentent.

Les principaux signes employés sur les cartes topographiques sont illustrés aux pages suivantes. Du point de vue de l'orientation, quatre catégories de signes conventionnels nous intéressent particulièrement, chacune étant représentée par une couleur différente:

- — les oeuvres de l'homme (anthropiques) ou oeuvres culturelles en noir (parfois en rouge),
- — l'hydrographie en bleu,
- — la végétation en vert,
- — le relief (hypsographie) ou accidents du terrain en brun.

Oeuvres de l'homme

Sous cette rubrique, nous classerons les routes et les pistes, les maisons et les édifices publics, les lignes de chemin de fer, les câbles à haute tension, les barrages et les ponts, les frontières et les limites de territoire.

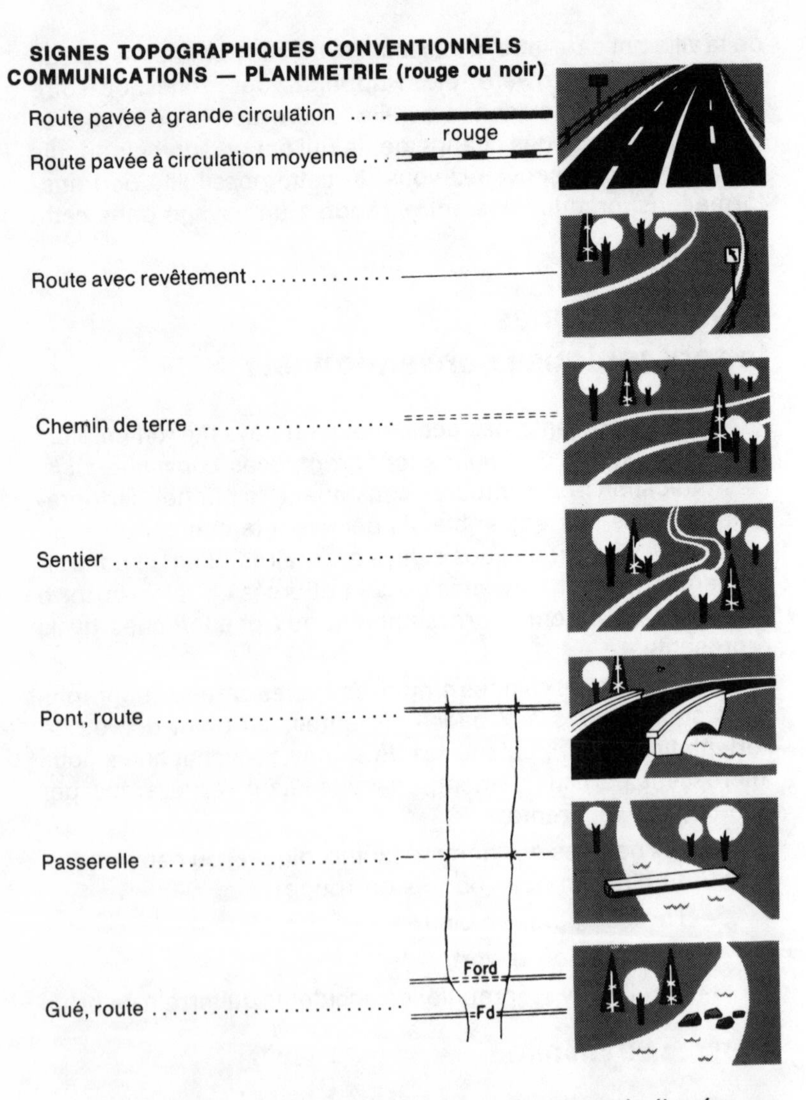

Sur la carte, les oeuvres de l'homme sont indiquées en noir, à l'exception des autoroutes à grande et moyenne circulation qui sont parfois dessinées en rouge pour les distinguer des routes moins importantes.

SIGNES TOPOGRAPHIQUES CONVENTIONNELS
COMMUNICATIONS — PLANIMETRIE (rouge ou noir)

Chemin de fer à voie simple ....

Chemin de fer à voies multiples .....

Bâtiments (demeures, fabriques) ....

Bâtiments (granges, entrepôts) ....

Ecole ....

Eglise ....

Cimetière .... Cem

Ligne à haute tension ....

Fils téléphoniques, télégraphiques, pipeline, etc.

Puits de mine ouvert ou carrière ....

En général, tous les signes conventionnels représentent ces détails fortement grossis afin de les rendre plus visibles. Par exemple, une route d'une largeur de 20 pieds n'aurait, sur une carte à l'échelle 1:25 000, qu'une épaisseur d'un centiè-

SIGNES TOPOGRAPHIQUES CONVENTIONNELS
HYDROGRAPHIE (bleu)

Lac ou étang .... bleu

Cours d'eau permanent ....

Source .... o

Puits d'eau .... o

Marécage ....

me de pouce et par conséquent elle serait presque invisible. C'est pourquoi elle est représentée par une double ligne. Si vous calculez vos distances sur une carte et qu'une route y soit impliquée, faites vos calculs à partir du milieu de la route.

Les routes revêtues sont représentées par des doubles lignes continues; les routes non revêtues ou chemins de terre par des doubles lignes discontinues; les sentiers ou pistes par des lignes simples discontinues.

Les voies de chemin de fer sont représentées par des lignes continues traversées par des petits traits rappelant les traverses.

Hydrographie

Sur les cartes topographiques, les rivières et les canaux, les lacs et les océans, les marais, les marécages et autres nappes d'eau sont bleus.

SIGNES TOPOGRAPHIQUES CONVENTIONNELS
TERRAIN ET VÉGÉTATION (vert)

Bois et broussailles .... vert

Verger ....

Vignobles ....

Arbustes ....

Les ruisseaux et les petites rivières sont représentés par une seule ligne, les fleuves et les cours d'eau plus importants par un ruban bleu. Les grandes nappes d'eau sont habituellement en bleu clair et le contour des rivages bleu foncé.

Végétation

Les régions boisées, les vergers, les vignobles et les étendues couvertes de broussailles et d'arbustes sont en vert.

Pour vous orienter, il est important que vous sachiez si une région est boisée ou non. Au Québec, la végétation est toujours représentée sur les cartes topographiques. Si vous commandez une carte aux Etats-Unis, il faut spécifier "Woodland copy".

Relief

Le relief d'une région, ses montagnes, ses collines, ses

vallées et ses plaines, est représenté par de fines lignes brunes, des courbes de niveau.

Alors que la plupart des autres signes conventionnels s'expliquent par eux-mêmes, les courbes de niveau demandent quelques éclaircissements.

Une courbe de niveau est, par définition, une ligne imaginaire sur le sol dont chaque point se trouve à la même altitude au-dessus du niveau moyen de la mer.

Consultez la carte de la page 220 et étudiez ces fines courbes de niveau (en noir sur cette carte). Vous observerez que chaque cinquième courbe est plus marquée que les autres; c'est une courbe maîtresse.

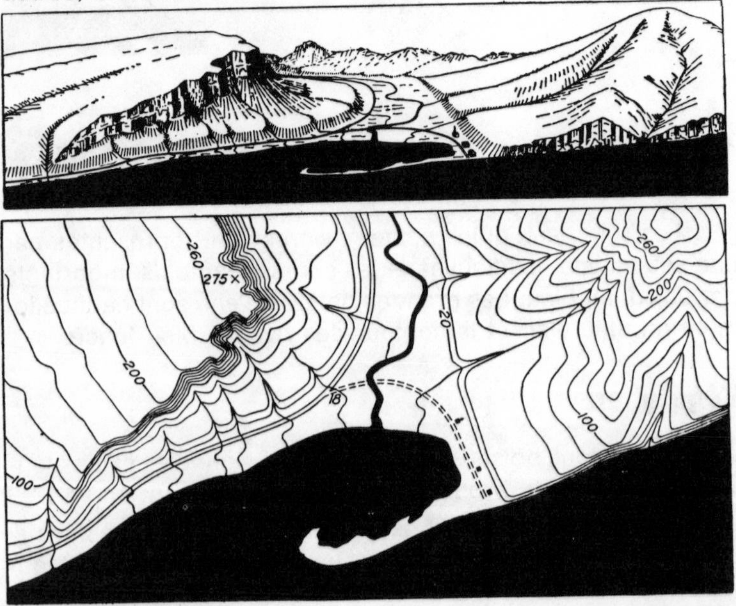

En haut, un paysage en coupe; en bas, le même paysage en plan. Remarquez que les courbes de niveau sont fort espacées en terrain presque plat, tandis qu'elles sont très rapprochées dans le cas des falaises ou des escarpements.

En suivant une de ces courbes vous trouverez un chiffre. Ce chiffre indique que chaque point le long de cette ligne se trouve à cette altitude en pieds au-dessus du niveau moyen de

SIGNES TOPOGRAPHIQUES CONVENTIONNELS
RELIEF (brun)

Courbe de niveau intercalaire ....

Courbe de niveau ....

Courbe de niveau de dépression ....

Déblai ....

Remblai ....

Grand barrage de terre ou digue .....

Région sablonneuse, dunes ....

Point de triangulation .... △

BM△1062

Point coté* .... BM×958

* Point désignant une cote d'altitude au-dessus du niveau moyen de la mer, à partir d'un point fixe (élément naturel ou anthropique). Le point coté sert de repère pour prendre des mesures sur le terrain, autour de ce point.

la mer, c'est-à-dire au-dessus du niveau moyen de l'océan le plus proche: l'Atlantique ou le Pacifique.

Le principe des courbes de niveau: plongez partiellement une pierre dans l'eau, retirez-la et tracez une ligne là où l'eau a laissé une marque. Recommencez plusieurs fois en plongeant chaque fois la pierre un peu plus profondément dans l'eau, puis regardez-la d'en haut.

Disons, par exemple, que le chiffre que vous avez trouvé sur la courbe de niveau est 500. Si l'océan Atlantique montait soudain jusqu'à s'élever à 500 pieds (150 m) au-dessus de son niveau moyen de 0 pied et inondait les terres, la courbe de niveau marquée 500 deviendrait la nouvelle ligne du rivage.

La différence d'altitude d'une courbe de niveau à la suivante varie d'une carte à l'autre. Sur un bon nombre de cartes topographiques elle est de 25 pieds (8 m), c'est-à-dire que, par exemple, une courbe de niveau désignera tous les points qui se trouvent à 50 pieds (15 m) au-dessus du niveau moyen de la mer et la courbe suivante, tous les points qui se trouvent à 75 pieds (23 m) au-dessus du niveau moyen de la mer (ou à 25 pieds ou 8 mètres si le terrain descend). Sur une carte représentant une région peu accidentée, cette différence d'altitude d'une courbe à l'autre peut être réduite à 5 pieds (1,5 m). Par contre, elle peut aller jusqu'à 50 pieds (15 m) ou plus encore sur une carte représentant des contrées montagneuses. Il n'y aurait vraiment pas moyen dans ces cas-là de tracer toutes les courbes de niveau représentant les différences d'altitude de 5 ou même de 20 pieds (1,5 ou 6m).

La carte présente des lignes de dénivellation espacées lorsque la pente est douce et des lignes rapprochées pour une pente abrupte. Ces lignes prennent la forme d'un V pour indiquer des vallées et la forme d'un U pour indiquer des éperons (ou avancés).

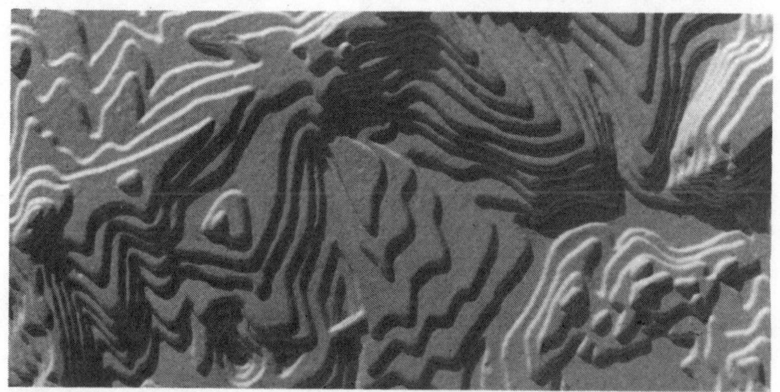

Si l'on découpait chaque région horizontalement le long des courbes de niveau et que l'on empilait les sections ainsi obtenues, le résultat serait tel que représenté sur cette photo.

La carte représenterait le paysage de façon presque naturelle si le relief y était dessiné comme sur cette carte d'entraînement utilisée par les ingénieurs militaires.

Cette différence d'altitude d'une courbe de niveau à la suivante est inscrite dans la marge au bas de votre carte. Sur la carte du Québec, (p. 226), cette différence d'altitude ou *équidistance des courbes* est de 25 pieds (8 m); sur la carte américaine (p. 220) elle est de 20 pieds (6 m) — vous pourriez d'ailleurs vous en rendre compte par vous-même d'après les chiffres indiqués sur les courbes de niveau de votre carte.

De prime abord, ces courbes de niveau vous paraîtront un peu compliquées, mais très vite vous considérerez chaque colline, chaque montagne en fonction des courbes de niveau. Quand les courbes de niveau sont très rapprochées, elles vous indiquent que le terrain s'élève en pente raide; quand elles ne forment plus qu'une seule ligne, elles représentent une falaise ou un escarpement, et une pente douce quand elles sont très écartées.

L'altitude en maints endroits — croisements de routes, sommets, lacs, bancs — est inscrite sur la carte en chiffres très précis.

EXERCICES SUR LES SIGNES CONVENTIONNELS

A présent, avant de poursuivre, mettez vos connaissances des signes conventionnels à l'épreuve, afin d'être tout à fait certain que vous les avez bien identifiés. Si vous travaillez en groupe, mettez vos compagnons à l'épreuve en transformant ces exercices en jeux d'entraînement.

Signes conventionnels

BUT: revision rapide des signes conventionnels.

Examinez les signes de la page 29 puis, sans consulter les illustrations des pages précédentes, inscrivez le nom de chaque signe sous celui-ci. Les résultats se trouvent à la page 216.

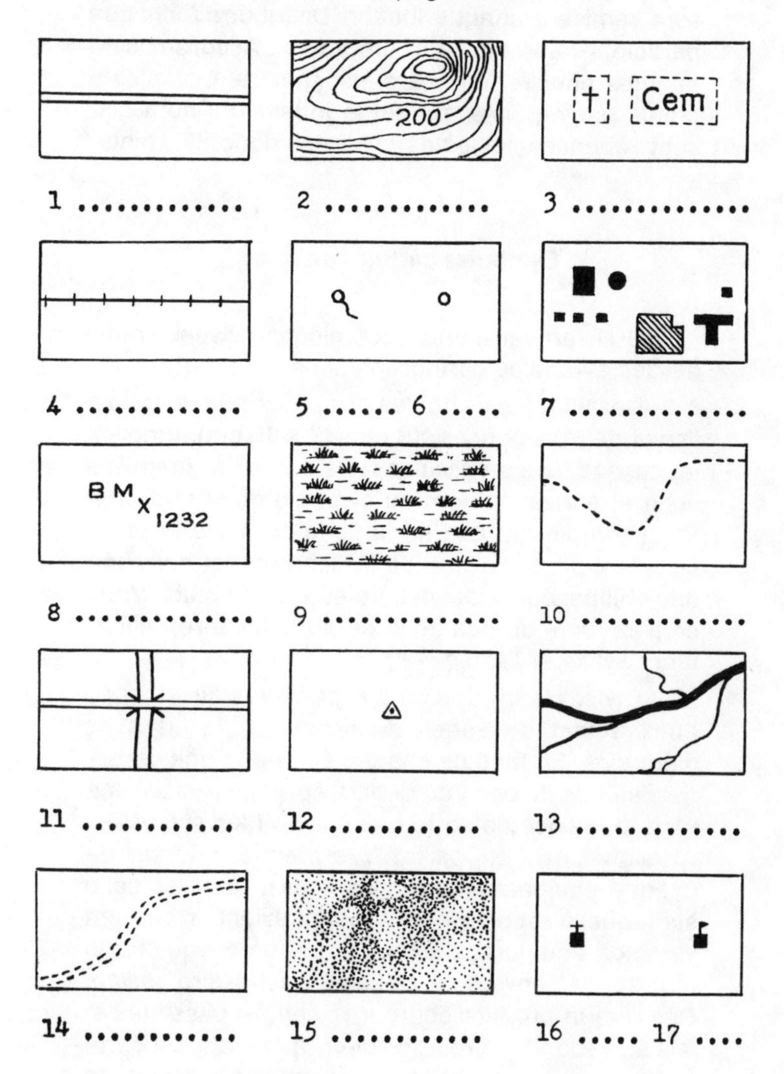

Pour un groupe, recopiez les signes de la page 29 au tableau ou faites-en un stencil dont une copie sera remise à chaque joueur. Distribuez à chaque participant une feuille et un crayon. Accordez cinq minutes pour remplir ce questionnaire. Comptez 5 points par réponse exacte; le joueur qui aura dix-sept réponses correctes totalisera donc 85 points.

Symboles cartographiques

BUT: arriver à une discrimination visuelle rapide des symboles cartographiques.

Dessinez les symboles de la page 29 sur quinze fiches de trois pouces sur cinq (7 X 10 cm). Empilez les quinze fiches dessinées. Retournez la première fiche et écrivez le nom du symbole de la seconde. Par exemple, au dos de la fiche où il y a la route écrivez *colline;* au dos de la fiche où est dessinée une colline, écrivez *cimetière* et ainsi de suite. Vous écrivez *route* au dos de la dernière fiche représentant l'église et l'école.

Divisez le groupe en équipes de relais et fabriquez autant de séries de fiches que vous avez d'équipes. En face de chaque équipe, à une certaine distance du point de départ, éparpillez au sol une série de fiches de sorte que l'on voit les symboles. Au signal: "Route, partez.", le premier coureur de chaque équipe court vers les fiches, ramasse celle sur laquelle est dessinée la route, revient en courant vers son équipe et annonce pour son coéquipier le mot écrit à l'envers de sa fiche, c'est-à-dire *colline.* Dès que le premier coureur revient et passe le relais au second coureur, celui-ci va chercher la carte qui représente la colline, revient à son point de départ, crie le mot *cimetière* et passe le relais au

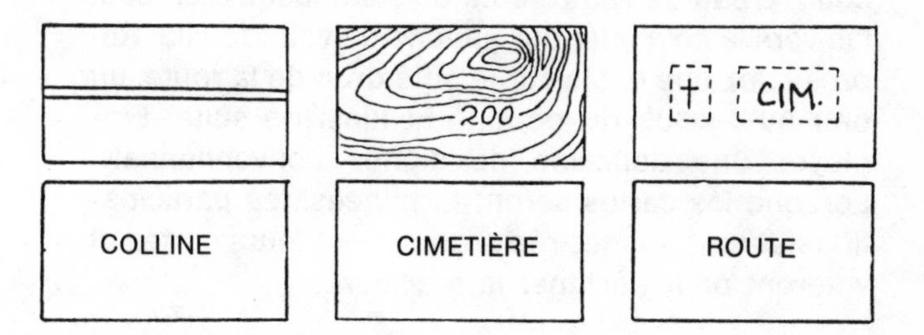

Les 3 figures du haut représentent les symboles pour le jeu de relais. A l'endos des fiches sont écrits les mots que vous voyez sur la ligne du bas.

suivant, et ainsi de suite. L'équipe gagnante est celle qui, la première, a retourné toutes les cartes.

Dessin d'une carte fictive

BUT: se faire une idée générale des rapports qui existent entre les divers signes conventionnels.

En premier lieu, étudiez bien une partie de la carte de la page220,puis dessinez de mémoire le secteur de carte que vous venez d'étudier en y incorporant autant de signes que possible. Faites attention (c'est très important) au tracé des routes et des rivières et à leurs rapports réciproques, aux emplacements des constructions, aux croisements de routes, etc.

Pour un groupe, donnez une feuille de papier et un crayon à chaque participant et dictez les détails de la configuration d'un territoire imaginaire , par exemple: "Dessinez une route importante allant du coin supérieur gauche au coin inférieur droit. Placez une source dans le coin supérieur droit. Vous dessinerez un cours d'eau qui y prendra sa source, puis coulera vers le milieu de la feuille jusqu'à la route.

Faites un pont pour la route. Continuez le tracé du cours d'eau de l'autre côté du pont jusqu'à un petit lac vers le coin inférieur gauche de votre feuille. Représentez une école sur le côté droit de la route, un peu au-dessus du pont..." Et ainsi de suite. Employez une douzaine de signes conventionnels. Lorsque les cartes seront terminées, les participations auront à juger réciproquement leurs cartes et voteront pour désigner la meilleure.

Courbes de niveau

BUT: être à même d'interpréter correctement et rapidement les courbes de niveau.

Lisez d'abord les questions, puis étudiez la carte-modèle (p.220) et soulignez les mots ci-dessous qui, à votre avis, décrivent le mieux le paysage. Vous trouverez les réponses à la page 216.

1. Vous marchez sur la route allant de Log Chapel au croisement au nord de celle-ci. La route est (a) presque de niveau, (b) montante, (c) descendante.

2. Charter Brook coule (a) du bas vers le haut de la carte, (b) du haut vers le bas de la carte.

3. Vous vous acheminez vers l'intérieur à 400 pieds de Glenburnie par la route. Votre route est (a) en pente raide, montant à 100 pieds, (b) en pente douce, s'élevant seulement à 40 pieds.

4. Sucker Brook est (a) un cours d'eau à courant lent, (b) à courant rapide.

5. Lorsque vous vous trouvez sur la colline marquée 400, à environ un demi-mille au nord de Meadow Knoll Cemetery, vous devriez être à même de voir (a) Hutton Hill, (b) Meadow Knoll Cemetery, (c) Niger Marsh, (d) Log Chapel, (e) Huckleberry Mountain.

Pour un groupe, distribuez à tous les participants des exemplaires de la carte reproduite à la page 220 , puis commencez: "Trouvez Log Chapel, suivez ensuite la route vers le nord jusqu'au croisement. La route est-elle presque de niveau, descendez-vous la pente ou montez-vous un versant? Comment le savez-vous?" Le premier joueur qui lève la main et donne une réponse correcte marque 20 points — et ainsi de suite, jusqu'à ce que les cinq questions soient résolues, pour un total de 100 points.

Association des formes de dénivellation

BUT: être capable de reconnaître la forme d'une colline à l'aide des courbes de niveau et vice versa.

Regardez la forme des collines en plan et la représentation cartographique en coupe de celles-ci à la page 34 . Associez chacune d'elles avec sa configuration géométrique, en écrivant à côté de la lettre le numéro de la configuration correspondante. Réponse à la page 216.

Trois formes de jeux peuvent être organisés:

A) Association des lignes aux formes géographiques.

Faites autant de copies de la page 34 que vous avez de joueurs. Ceux-ci doivent effectuer les associations correspondantes.

B) Reproduction des représentations cartographiques après étude de la topographie.

Faites des copies de la forme des collines seulement; les joueurs doivent dessiner les courbes de niveau.

c) Reproduction de la topographie (coupe) après étude des représentations cartographiques (plan).

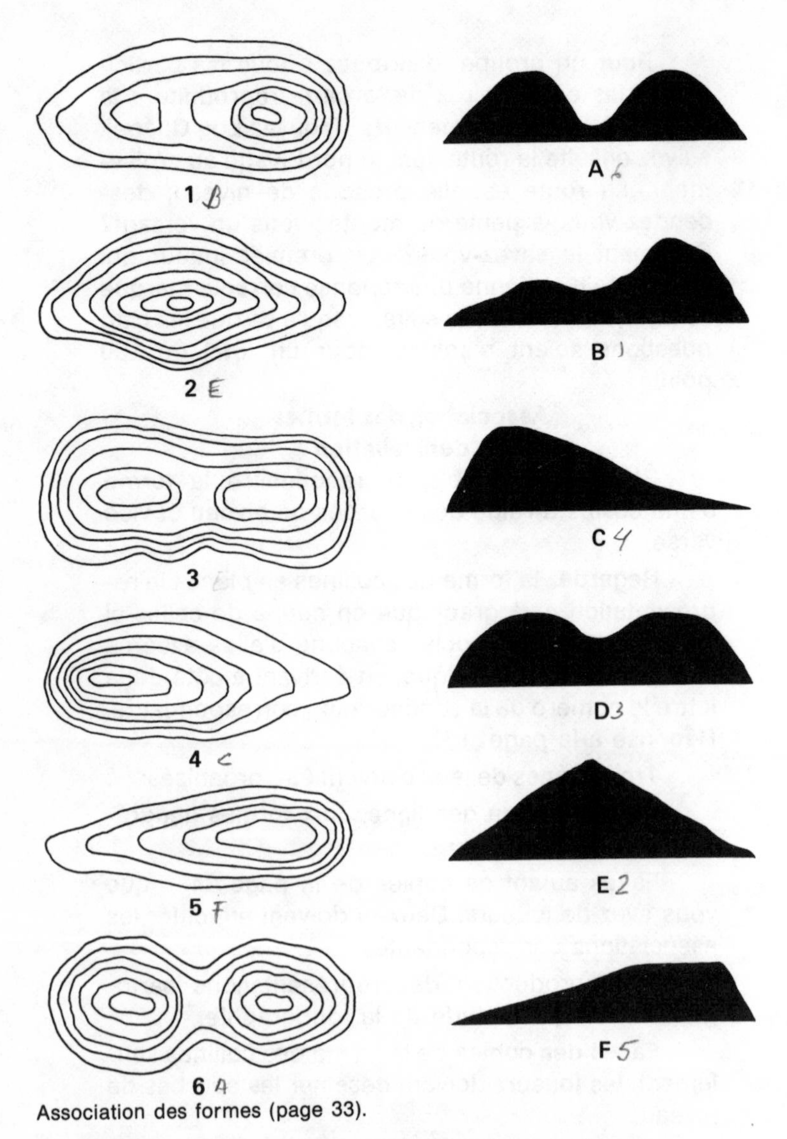

Association des formes (page 33).

Faites des copies des représentations cartographiques seulement; les joueurs dessinent la forme des collines correspondantes.

Directions

Un coup d'oeil sur une carte vous indiquera aussitôt la direction à prendre pour aller d'un point quelconque à un autre point quel qu'il soit. Mais si vous désirez connaître la direction réelle entre deux points par rapport au nord et au sud du paysage, il vous faudra d'abord savoir où se trouve le nord et le sud de votre carte.

Situer le nord sur la carte

Lorsque vous dépliez une carte topographique devant vous avec toutes les données imprimées dans le bon sens, il est à peu près certain que le nord se trouve en haut de la carte et le sud en bas. Evidemment la marge de gauche indiquera la direction ouest et la marge de droite, l'est.

S'il subsiste en votre esprit le moindre doute quant à la manière dont votre carte est orientée, jetez un coup d'oeil sur la marge inférieure. Vous y trouverez un petit diagramme: un angle formé par une droite qui indique le nord géographique et une autre droite qui détermine le nord magnétique. Assurez-vous que la droite qui indique le *nord géographique* est bien parallèle aux lignes qui encadrent la carte à gauche et à droite.

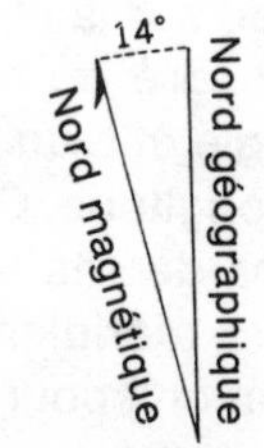

Déclinaison moyenne
approximative, 1950

Le diagramme de déclinaison dans la marge inférieure de la carte indique l'angle entre le nord géographique et le nord magnétique de la région en question.

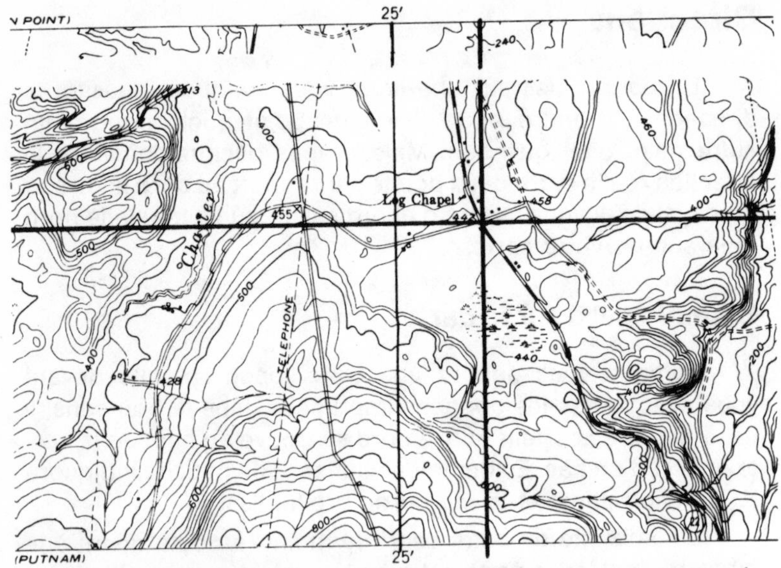

Tracez un méridien et choisissez un point sur ce dernier, puis tracez un parallèle passant par ce point. Voyez ensuite ce qui se situe au nord et au sud, à l'est et à l'ouest du point choisi.

Déterminer une direction

A présent, étalez votre carte topographique devant vous — ou utilisez la carte modèle de la page 220. Choisissez un chiffre de degré de longitude sur la ligne supérieure du pourtour de votre carte et le degré correspondant sur la ligne inférieure. A l'aide d'une règle et d'un crayon tracez une ligne reliant ces deux degrés de longitude. Cette ligne allant du nord au sud est un des méridiens décrits à la page 18 . Choisissez un point déterminé, sur ce méridien, que vous considérerez comme votre "base d'opération" pour vous exercer à trouver une direction.

Tout d'abord, en partant de ce point, suivez le méridien en montant vers le haut de la carte — n'importe quel point sur ce méridien se trouve exactement au nord de votre "base". Ensuite suivez le méridien à partir de votre "base" et descendez

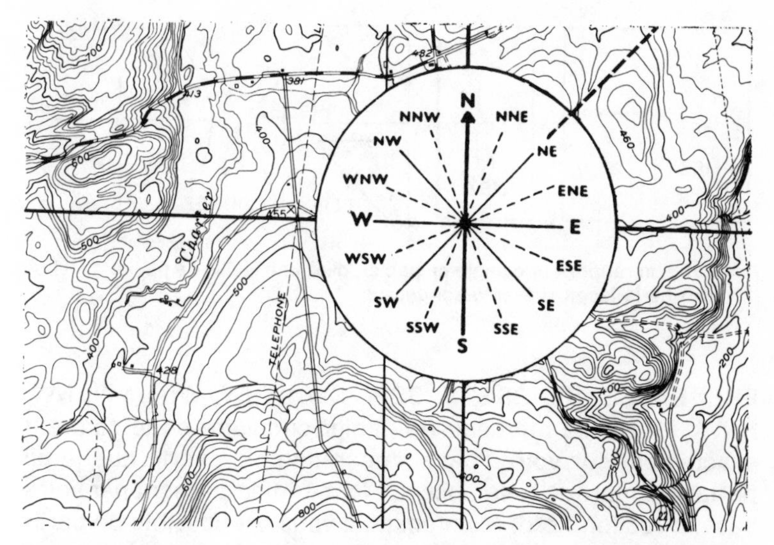

Pour déterminer ce qui se trouve dans les autres directions à partir du point que vous avez choisi, utilisez un cercle en papier plié, dont le centre sera placé sur ce point.

vers le bas de la carte — n'importe quel point sur la ligne méridienne sera exactement au sud de votre "base". Allez maintenant directement à gauche de la base — n'importe quel point sera à l'ouest et si vous allez directement à droite — n'importe quel point se trouvera à l'est de votre base.

Déterminer une direction à l'aide d'un cercle de papier

Comment faire pour déterminer toutes les autres directions à partir de votre "base d'opération"?

Prenez un morceau de papier d'environ trois pouces carrés (20 cm²). Pliez-le bien nettement en moitiés, puis en quarts, ensuite en huitièmes et finalement en seizièmes. Arrondissez-le avec des ciseaux, en coupant les bords qui dépassent pour en faire un cercle. Dépliez le papier et marquez les plis, dans le sens des aiguilles d'une montre: N, NNE, NE,

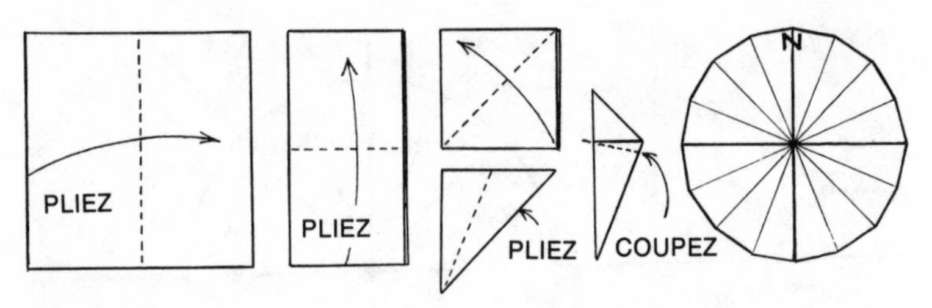

Pour faire un rapporteur d'angle en papier, pliez une feuille de papier de 3 po² (20 cm²) de la façon présentée ci-dessus.

ENE, E, ESE, SE, SSE, S, SSW, SW, WSW, W, WNW, NW, NNW. Placez ce morceau de papier circulaire en le centrant exactement sur votre "base d'opération", de sorte que le pli portant la marque N se pose sur le méridien passant par votre base, direction nord. Maintenant, il vous est possible de partir dans n'importe quelle direction depuis votre base. Vous pouvez prendre la direction nord-est en suivant le pli NE et son prolongement sur la carte, ou vous acheminer vers le SSW ou dans toute autre direction (voir illustration, page 37).

Déterminer une direction au moyen du rapporteur

Le cercle de papier avec ses seize directions sera votre premier pas pour apprendre à vous servir d'un rapporteur. Ainsi que vous le savez probablement, un rapporteur est un instrument qui sert à mesurer des angles. C'est un cercle en métal ou en plastique avec la graduation des 360 degrés de la circonférence. La graduation commence à 0 degré et va dans le sens des aiguilles d'une montre et se termine à 0 degré ou 360 degrés, puisque 0 et 360 coïncident. Certains rapporteurs sont en demi-cercle et plus faciles à manipuler.

Le nord est indiqué par 0-360 degrés. Et le sud alors? 180°! L'est se trouve à 90°, l'ouest à 270°, le nord-est à 45°, le sud-est à 135° et ainsi de suite. Etant en possession de ces données, vous pouvez transformer votre cercle de papier en un

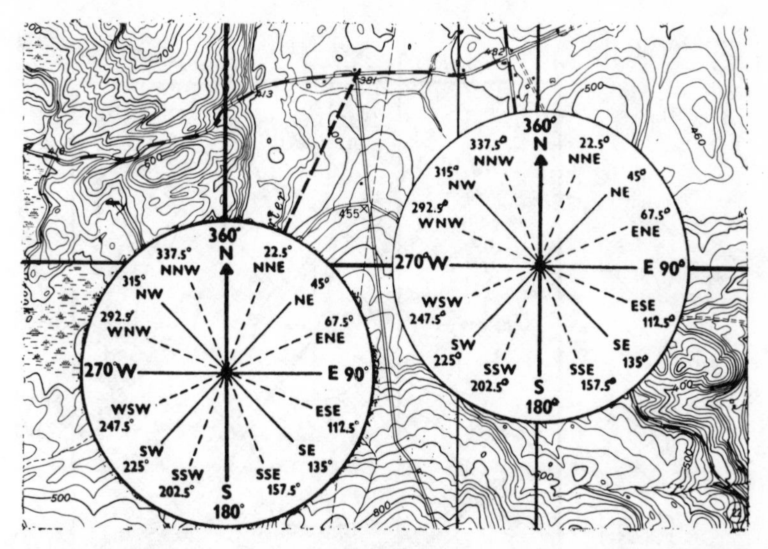

Il vous sera facile de transformer votre cercle de papier en rapporteur en y inscrivant les degrés du cercle. Zéro et 360 degrés coïncident.

rapporteur rudimentaire. Il suffit d'ajouter les degrés correspondant aux initiales des directions:

N-0 et 360	NNE-22½	NE-45	ENE-67½
E-90	ESE-112½	SE-135	SSE-157½
S-180	SSW-202½	SW-225	WSW-247½
W-270	WNW-292½	NW-315	NNW-337½

Il est évident que pour des calculs précis, votre rapporteur de papier plié ne sera pas d'une grande exactitude. Ce dispositif de fortune vous apprendra néanmoins à utiliser un rapporteur, mais si vous désirez que vos lectures soient vraiment précises, il vous faudra un véritable rapporteur.

Supposons que vous désirez explorer le pays en tous sens depuis votre base.

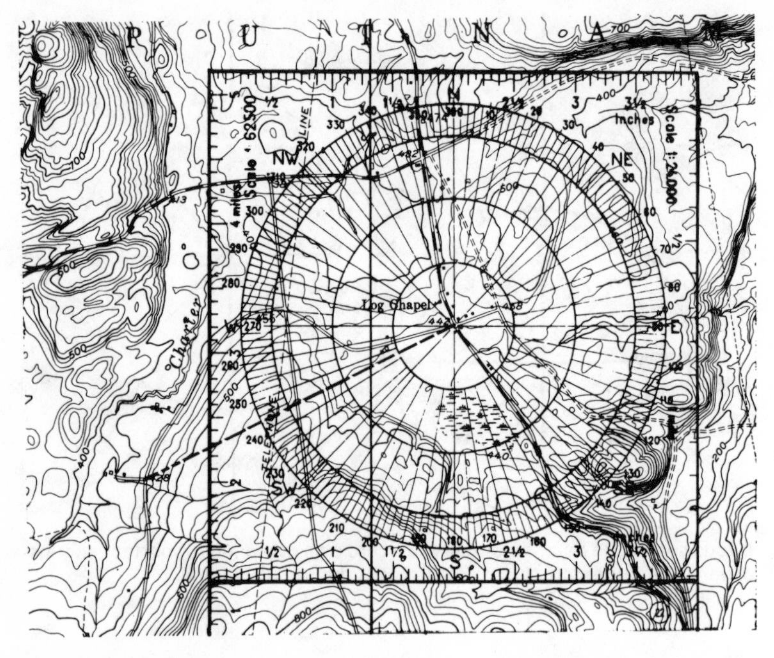

Pour vous exercer à trouver des directions vers différents points de la carte, utilisez un rapporteur.

Placez le centre de votre rapporteur sur votre base et assurez-vous que la ligne nord-sud (son diamètre 360-180) est parallèle au méridien le plus rapproché de la carte, la marque de 360 étant dirigée vers le nord.

Quelle que soit la direction que vous ayez choisie, vous partez du centre, votre base, en passant sur le chiffre de degrés qui représente votre direction et vous poursuivez votre route.

Mais peut-être ne désirez-vous pas vous acheminer dans une direction arbitraire. Il se peut que vous ayez l'intention de vous rendre d'un endroit à un autre. Dans ce cas, centrez votre rapporteur sur votre point de départ, pointez la marque de

360° vers le nord et veillez à ce que le diamètre 360-180 soit parallèle au méridien le plus proche. Puis, placez une règle ou le bord d'une feuille de papier depuis votre point de départ jusqu'à votre destination. Lisez le nombre de degrés à l'endroit où la règle ou le papier coupe la circonférence du rapporteur. C'est la direction que vous avez choisie exprimée en degrés (voir illustration, page 40).

EXERCICE AVEC LE RAPPORTEUR

Prenez l'habitude de penser aux directions en termes de degrés en faisant usage de votre rapporteur.

Lecture de positions

BUT: se familiariser avec l'emploi du rapporteur pour déterminer les directions sur une carte.

A la page 42, vous trouverez une carte schématique où figurent quelques emplacements dont les rapports, entre eux et avec le nord, sont établis par plusieurs méridiens. En utilisant votre rapporteur, déterminez les lectures en degrés entre les points suivants, en partant du centre de l'image:

1. De 1 (église) à 2 (lac) .... °
2. De 2 (lac) à 3 (colline) .... °
3. De 3 (colline) à 4 (carrière) .... °
4. De 4 (carrière) à 5 (pont) .... °
5. De 5 (pont) à 6 (cimetière) .... °
6. De 4 à 2 .... °
7. De 1 à 6 .... °
9. De 5 à 1 .... °
5. De 3 à 6 .... °
10. De 2 à 4 .... °

(Réponses, page 216).

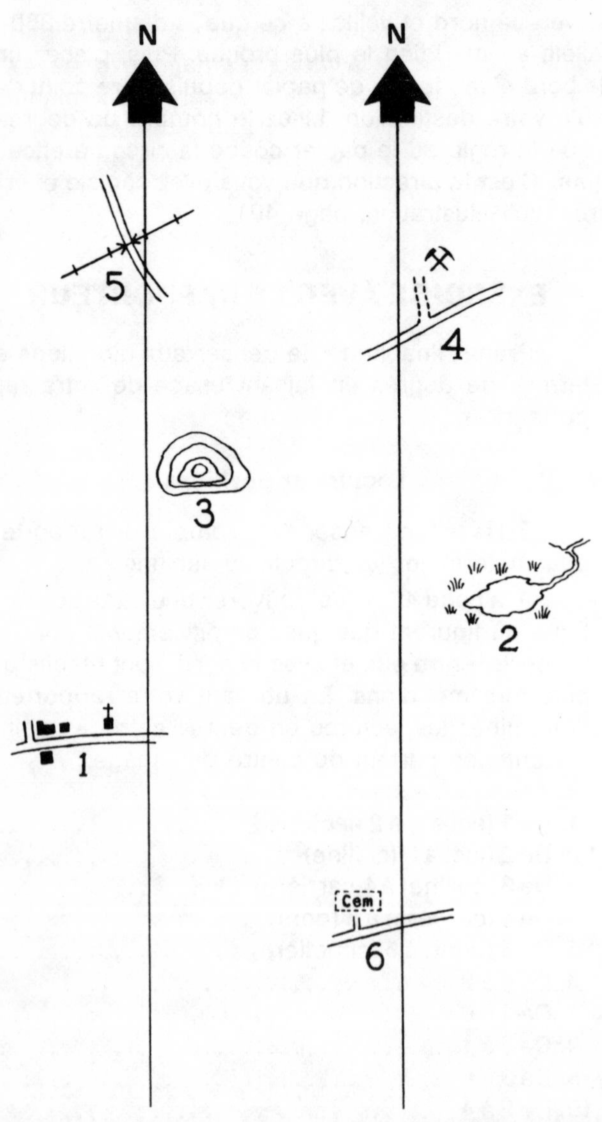

Pour cet exercice, lisez les instructions à la page 41. Utilisez un rapporteur pour déterminer les directions entre les divers points. Les lignes parallèles sont des méridiens.

Pour un groupe, distribuez à chaque participant une copie de la carte schématique (page 42), un crayon et un rapporteur. Accordez dix minutes à chaque participant pour faire cet exercice. Celui qui, dans ce délai, aura le plus grand nombre de réponses exactes sera le gagnant.

Déterminer une direction avec une boussole

Une boussole moderne comporte un habitacle circulaire attaché à une plaque de base rectangulaire sur laquelle il peut pivoter. Ce qui donne à la boussole, en plus de sa fonction normale, les avantages d'un rapporteur et d'une règle.

Lorsque vous utilisez une boussole pour déterminer les directions sur une carte, l'habitacle avec ses 360 degrés devient votre rapporteur et la plaque de base avec ses côtés droits votre règle. Puisque vous utilisez la boussole comme rapporteur et comme règle, l'aiguille aimantée ne joue ici aucun rôle. Vous pouvez donc vous tirer d'affaire avec une boussole sans aiguille.

Posez votre boussole sur la carte de telle manière qu'un côté de la base touche à la fois votre point de départ et votre lieu de destination, la flèche de direction de votre plaque de base étant pointée vers votre destination. Puis, faites pivoter l'habitacle de la boussole jusqu'à ce que la flèche d'orientation qui y est imprimée soit dirigée vers le nord de la carte, c'est-à-dire parallèle à la plus proche ligne méridienne nord-sud.

Voilà votre boussole réglée: tout ce qu'il vous reste à faire pour connaître la direction c'est de jeter un coup d'oeil à la marque de degrés sur le bord du réceptacle de la boussole, à l'endroit où la ligne de direction le touche. Voilà donc votre direction en degrés!

EXERCICE

Les directions

BUT: exercice consistant à déterminer les di-

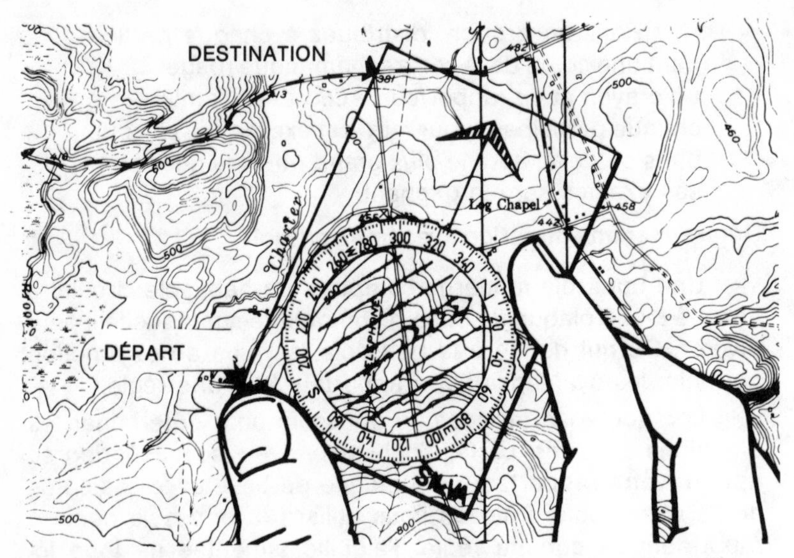

Premier pas dans l'utilisation de la boussole comme rapporteur: posez la base sur la carte de telle sorte que l'un des bords touche à la fois votre point de départ et votre lieu de destination.

rections en degrés sur une carte au moyen de la graduation du rapporteur de la boussole.

Consultez la carte de la page 220 et utilisez votre boussole pour rechercher les directions en degrés entre les points suivants:

1. Depuis la route en T à Glenburnie jusqu'au sommet de Record Hill .... °
2. Depuis Record Hill jusqu'au croisement au sud de BM 474 .... °
3. Depuis le croisement au sud de BM 474 jusqu'au camp Adirondack .... °
4. Depuis le camp Adirondack jusqu'à Log Chapel .. °
5. Depuis Log Chapel jusqu'à Meadow Knoll Cemetery .... °

(Réponses, page217).

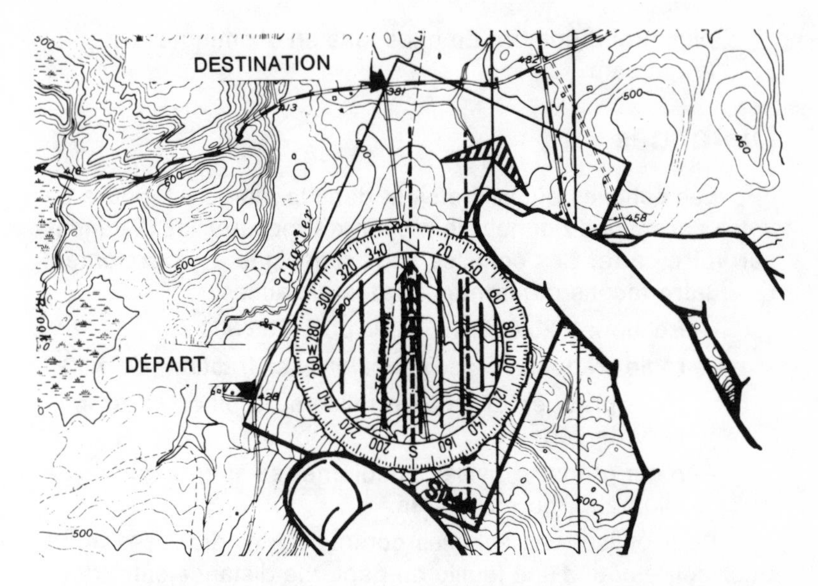

Deuxième pas dans l'utilisation de la boussole comme rapporteur: faites pivoter l'habitacle jusqu'à ce que la flèche d'orientation soit parallèle au méridien. Lisez les degrés à la base de la ligne de direction.

Pour un groupe, distribuez à chaque participant une carte et une boussole. Déterminez chaque direction l'une après l'autre: "Quelle est la direction en degrés de la route en T à Glenburnie jusqu'au sommet de Record Hill?" Dès qu'un joueur a trouvé la réponse, il lève la main. Si sa réponse est exacte à cinq degrés près, il marquera 20 points; si elle est inexacte, un autre participant aura l'occasion de marquer 20 points. Et ainsi de suite jusqu'à 100 points, total des réponses exactes.

Pour un grand nombre de participants, photocopiez le modèle de carte de la page 42 et reprenez l'exercice de la page 41 mais avec la boussole cette fois. Le joueur qui répond correctement au plus grand nombre de questions en dix minutes est le gagnant.

Distances

Les échelles qui se trouvent dans la marge inférieure de votre carte vous donnent le moyen de mesurer les distances sur votre carte. Ces échelles vous renseignent généralement de quatre façons différentes sur les distances:

— fraction: 1: 25 000, 1: 50 000 ou 1: 250 000

— règle graduée divisée en milles et en fractions de mille

— règle graduée divisée en milliers de pieds ou en milliers de verges

— règle graduée divisée en kilomètres et en fractions de kilomètre, ou en mètres.

Pour utiliser ces échelles comme règles graduées, marquez sur le côté d'une feuille de papier la distance entre deux points sur la carte, distance que vous désirez connaître, puis calculez cette distance en appliquant votre papier le long de l'échelle graduée dans la marge au bas de votre carte ou bien recopiez l'échelle de votre carte sur le côté de votre feuille que vous utiliserez comme règle graduée de fortune.

Utiliser la boussole comme règle graduée

Méthode encore plus simple, employez la plaque de base de votre boussole pour mesurer vos distances. La plaque de base de certaines boussoles est graduée en pouces et en millimètres.

D'autres boussoles sont graduées au 1: 25 000 et au 1: 50 000 et sont de lecture aisée.

Cartomètre ou curvimètre

Une autre méthode pour mesurer les distances sur la carte consiste à faire usage d'un cartomètre ou curvimètre. Celui-ci comporte une petite roue que l'on fait circuler sur la

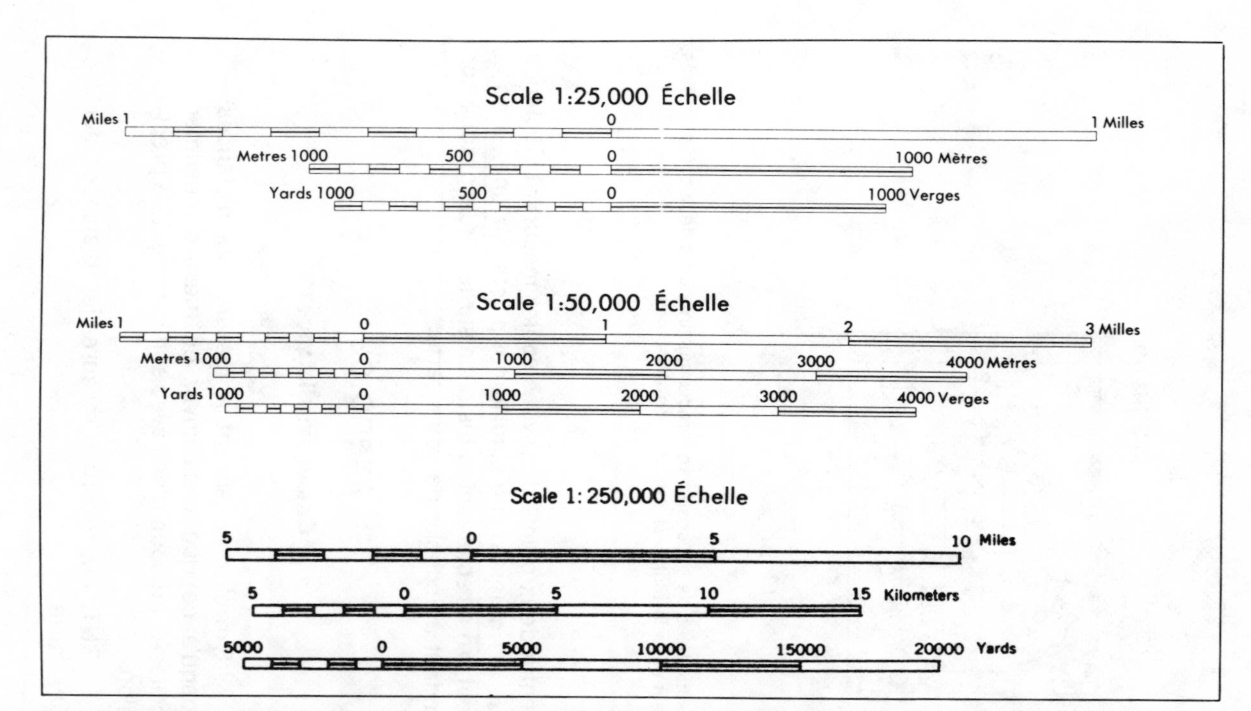

Les trois échelles les plus courantes qui sont reproduites dans la marge inférieure des cartes topographiques. Pour mesurer, recopiez une échelle sur le côté d'une feuille de papier.

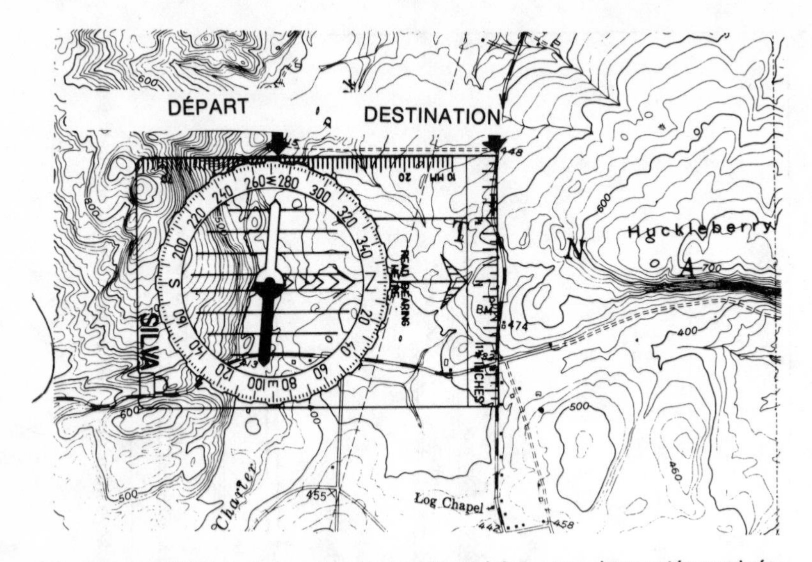

Certains modèles de boussoles sont rectangulaires avec deux cotés gradués, ce qui simplifie la tâche de mesurer les distances.

carte entre deux points dont vous voulez mesurer la distance. La roue est munie d'une aiguille qui pivote sur un cadran où l'on peut lire directement la distance sur le cercle gradué correspondant à l'échelle de votre carte.

EXERCICE

Calcul des distances

Exercice consistant à mesurer les distances jusqu'à ce que vous soyez en mesure d'estimer celles-ci au coup d'oeil avec suffisamment de précision.

BUT: apprendre à mesurer les distances sur une carte.

Recopiez la graduation de l'échelle de votre carte-modèle sur le côté d'une feuille de papier ou sur un morceau de carton, ou encore employez votre boussole pour calculer sur votre carte-modèle la distance en pieds, à vol d'oiseau, entre les points suivants: *

1. De Log Chapel à Meadow Knoll Cemetery..........pieds (222)
2. De Meadow Knoll Cemetery au sommet de Hutton Hill..........pieds (222)
3. De Glenburnie au sommet de Record Hill..........pieds (223)
4. Du sommet de Record Hill à Log Chapel..........pieds (223)

(Réponses, page 217).

Pour un groupe, chaque participant doit avoir un morceau de papier ou une copie de la carte-modèle. Demandez: "Quelle est la distance entre Log Chapel et Meadow Knoll Cemetery?"

Le premier joueur qui donnera une réponse exacte, en admettant une marge d'erreur de cinquante pieds, marquera 25 points, et ainsi de suite jusqu'à 100 points.

Dénomination

Dénomination de lieux

Les localités, lieux et accidents de terrain sont désignés sur une carte par des caractères d'imprimerie différents.

Les caractères romains sont utilisés pour les noms de

* Le chiffre entre parenthèses indique à quelle carte vous référer (page).

Localités, caractéristiques, frontières et territoires:

Richview, Union Sch, MADISON CO, C E D A R

Travaux publics, notes descriptives:

ST LOUIS, ROAD. BELLE STREET, Tunnel - Golf Course, Radio Tower

Eléments de contrôle, chiffres d'altitude et de courbes de niveau:

Florey Knob, BM 1333, VABM 1217-*5806*-*5500*

Relief:

Man Island, Burton Point, HEAD MOUNTAIN

Hydrographie:

Head Harbor, Wood River, NIAGARA RIVER

Les noms sont imprimés en divers types de caractères afin de faciliter la différenciation des divers accidents du terrain.

localités, de lieux, les frontières, les noms de territoires, tandis que les noms hydrographiques sont désignés par des caractères italiques.

Les dénominations hydrographiques sont imprimées en lettres moulées, les édifices publics et certaines annotations descriptives sont indiqués en lettres moulées italiques.

Repérage d'emplacements non indiqués sur la carte

En maintes circonstances, il vous arrivera probablement de devoir désigner à quelqu'un la position exacte sur la carte d'un endroit qui ne s'y trouve pas indiqué. Le meilleur moyen de le faire consiste à employer la dénomination la plus proche de cet endroit.

Par exemple: jetez un coup d'oeil sur la carte modèle à la fin du livre. Vous y trouverez la dénomination: "Huckleberry Mtn" *(Mountain)*. Repérez le croisement à 1½ pouce au sud-ouest de la lettre H de "Huckleberry Mtn" en soulignant la lettre-repère. A présent, il ne vous reste plus qu'à mesurer

1½ pouce à partir du bas de la lettre H (d'après l'échelle dans la marge de la carte ou une règle graduée ou la graduation sur le côté de votre voussole) en direction sud-ouest, et voilà votre croisement. En d'autres termes: trouvez la dénomination d'un endroit, puis la lettre, ensuite la distance et la direction.

Les distances se mesurent depuis la partie de la lettre la plus rapprochée de l'endroit que vous désirez indiquer, c'est-à-dire le bas de la lettre pour une direction vers le sud, le haut de la lettre pour une direction vers le nord, le côté gauche pour l'ouest, le côté droit pour l'est, etc.

EXERCICE

Repérage d'emplacements

En plus des exercices ci-dessous, tâchez d'imaginer comment vous décririez d'autres lieux en termes de repérage.

BUT: vous familiariser avec la méthode de désignation d'emplacements non indiqués sur la carte.

Repérez sur la carte-modèle les endroits suivants et inscrivez sur les lignes pointillées ce qu'ils représentent.*

1. 2" S **R** dans **R**ecord Hill ....(223)
2. ¾" E **e** dans Chart**e**r Brook ....(223)
3. 1⅝" SE **U** dans P**U**TNAM ....(223)
4. 1 3/16" WNW **H** dans **H**utton Hill ....(222)
5. 1 1/8 " N **l** dans Log Chape**l** ....(222)
6. ⅝" NNW **M** dans **M**eadow Knoll Cem ....(222)
7. ¼" N **k** dans Suc**k**er Brook ....(223)
8. 1½" NE **l** dans Record Hil**l** ....(223)
9. ⅝" W **L** dans **L**og Chapel ....(222)
10. ⅞" S **l** dans Huck**l**eberry Mtn ....(222)

(Réponses, page 217).

Pour un groupe, recopiez la liste ci-dessus au tableau, ou donnez à chaque participant une copie

* Le chiffre entre parenthèses indique à quelle carte vous référer (page).

à remplir. Accordez 10 points pour chaque position correctement repérée et identifiée: dix bonnes réponses vaudront 100 points.

COMMENT SE DIRIGER À L'AIDE D'UNE CARTE

Maintenant que vous avez appris à reconnaître les signes caractéristiques d'une carte, il est temps que vous entrepreniez un parcours, carte en main. Choisissez un point de départ et un itinéraire sur la carte et suivez-le sur le terrain.

Parcours imaginaire

Faites une excursion imaginaire sur la carte. Supposons que vous choisissiez comme point de départ le croisement au sud de Log Chapel. Vous marchez en suivant l'itinéraire indi-

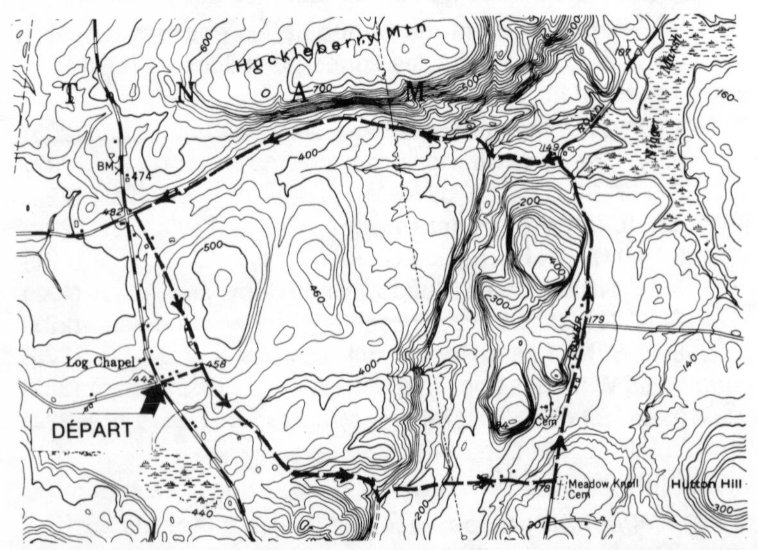

Suivez le parcours imaginaire décrit aux pages suivantes, sur la carte-modèle à la fin du livre. Commencez au point marqué "DÉPART" et acheminez-vous dans la direction contraire au sens des aiguilles d'une montre.

qué à la page52 , dans le sens contraire des aiguilles d'une montre: est, nord, ouest, sud.

Vous arrivez à Log Chapel, puis vous vous dirigez vers le croisement, au sud, et vous voilà prêt à prendre le départ. Mais dans quelle direction? Continuerez-vous tout droit, irez-vous à gauche, à droite ou en arrière?

Comment orienter la carte

Il faut orienter la carte pour savoir dans quelle direction vous devez vous acheminer. Orienter une carte signifie la tourner de telle manière que le nord de la carte corresponde au nord du paysage.

Il vous faudra donc bien examiner la carte et ce qui vous environne et la tourner jusqu'à ce que le croisement qui s'y trouve corresponde exactement au croisement où vous êtes. La position de la chapelle en bois doit coïncider avec son emplacement réel.

Vous avez orienté la carte après inspection des lieux. A partir de là, tout vous paraîtra simple. La route à suivre est à votre gauche. Il y a un moyen facile de vérifier si vous avez choisi la bonne route: devant vous, à environ 800 pieds (245 m), vous devriez arriver à une route en T.

Comment calculer vos distances

800 pieds (245 m). Bon! mais comment savoir que vous avez parcouru 800 pieds? Le meilleur moyen de mesurer vos distances sur le terrain, c'est de compter vos *enjambées* ou vos *doubles enjambées,* c'est-à-dire toutes les fois où vous poserez le pied gauche sur le sol — ou le droit, si vous préférez. Ceci se fait depuis l'époque romaine!

Vous êtes-vous jamais demandé pourquoi il y a le nombre étrange de 5 280 pieds dans un mille? Pour la simple raison qu'au temps des César, mille doubles enjambées du soldat romain moyen correspondaient à ce chiffre ou autant de fois la longueur du pied de ce même soldat. *Millia passuum,* en latin:

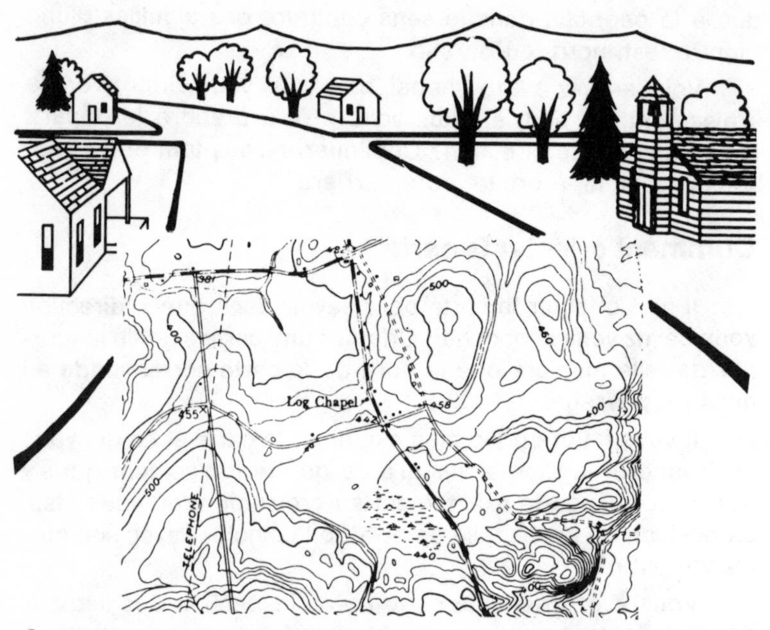

Comparez la carte au paysage. Log Chapel ne se trouve pas du même côté de la route que sur la carte. Devant vous le tournant de la route ne va pas dans la bonne direction. Il est donc évident que la carte est mal orientée.

mille doubles-pas, fut abrégé par la suite en *English mile* ou mille anglais. Ceci vous donnera une bonne indication de la longueur de votre double enjambée. Elle équivaudra à 5 pieds (1,5 m) environ, et dans la pratique, ce chiffre conviendra parfaitement. Toutefois, si vous voulez plus de précision, mesurez, une fois pour toutes, la longueur de votre double-pas et souvenez-vous-en.

Pour calculer ces mesures, tracez un trajet de marche. Fichez un pieu dans le sol et, avec un cordeau, mesurez une distance de 200 pieds. Enfoncez un autre pieu à cette extrémité.

En comptant vos doubles enjambées, marchez d'un pieu à l'autre, aller et retour. Divisez ce double trajet, c'est-à-dire 400 pieds (120 m), par le nombre de doubles enjambées et

Comparez la carte au paysage. Log Chapel se trouve du bon côté de la route et la route suit la courbe indiquée par la carte. La carte est bien orientée, puisqu'elle est conforme à la configuration du paysage.

vous obtiendrez la longueur de votre double pas. Si vous l'avez couvert en 80 doubles pas, votre double pas aura une longueur moyenne de 5 pieds (1,5 m). S'il vous a fallu 90 doubles pas, chaque double pas aura environ 4½ pieds (1,35 m) de long.

Un autre moyen d'évaluer la distance que vous avez parcourue consiste à tenir compte du temps que vous avez mis à la parcourir. Le dessin ci-dessus vous l'indique de manière schématique pour chaque mille couvert: par exemple, sur une bonne route, un mille sera parcouru en 15 minutes, sur une piste, il vous faudra 25 minutes, et ainsi de suite.

L'importance d'une date

Vous vous mettez en route, mais avant d'atteindre le croisement en T, une route qui bifurque à droite vous rend per-

Topographie d'après photographies aériennes, méthode multiplex. Photographies aériennes prises en 1942. Levés sur le terrain en 1949-1950.
Projection conique modifiée, coordonnée de base Amérique du Nord, 1927, d'après le quadrillage de 10 000 pieds et selon le système New-York Coordinate, zone est et le système Vermont Coordinate.

Edition de
1950

Les dates sont importantes. Lors de sa dernière revision, votre carte était correcte, mais ne soyez pas étonné s'il y a eu des changements depuis, surtout si vous utilisez une vieille édition.

plexe. Elle ne devrait pas être là — elle ne figure pas sur la carte.

Qu'est-il arrivé? Votre carte, comme l'indique la mention en marge,* a été revisée en 1950, et bon nombre d'événements et de changements se sont produits depuis cette date. Dans le cas qui nous intéresse, un terrain a été vendu, une maison a été construite et de l'endroit où vous vous trouvez, une route a été tracée en direction de cette maison.

Ce qui démontre qu'il est important de savoir la date de la dernière revision de votre carte, et quelles modifications ont pu y être apportées. Une route secondaire peut avoir été transformée en route principale, un marais asséché pour devenir un sol arable ou encore converti en étang. Une forêt peut avoir été défrichée ou une terre nue peut avoir été boisée.

C'est pourquoi, dès que vous vous serez assuré que cette nouvelle route ne figure pas sur la carte, repartez de l'avant et, bien sûr, à 800 pieds (245 m) de distance exactement, vous atteindrez le croisement en T.

Sur la route

A ce croisement en T, vous orientez de nouveau votre carte et vous prenez la direction sud-est par l'embranchement de droite de la ligne supérieure du T. Tout autour de vous, des plantations d'arbres et un terrain presque plat, ainsi que le re-

---

* Nous reproduisons ici les indications qui auraient dû apparaître au bas de la carte de la page 220,mais qui n'y sont pas, faute d'espace. Ces informations sont telles que fournies sur les cartes américaines.

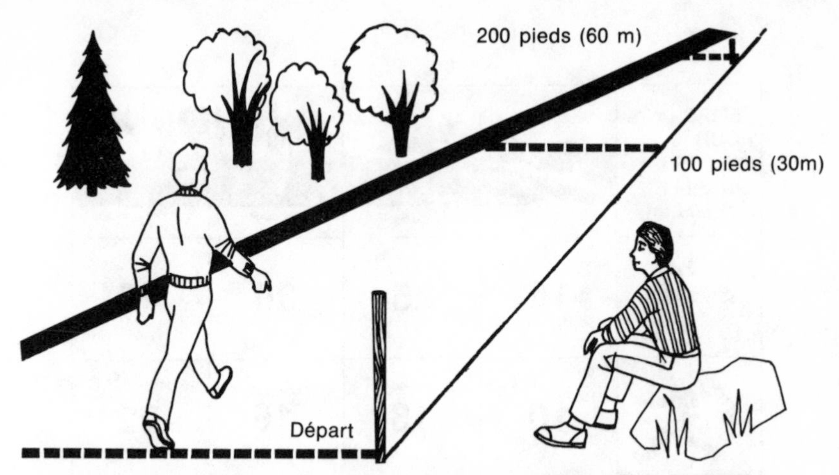

Pour calculer la longueur de vos enjambées, tracez un parcours rectiligne de 200 pieds (60 m) de long. Comptez le nombre d'enjambées sur cette distance, aller et retour, soit 400 pieds (120 m) que vous diviserez par le nombre de vos enjambées.

présente la carte, puisque les courbes de niveau sont très espacées. Vous franchissez un ruisseau à peine visible sous l'épaisse végétation, et peu après, la route revêtue se transforme en un chemin de terre, conformément aux indications de la carte. En effet, les lignes parallèles de la route deviennent des lignes discontinues.

La route tourne vers l'est en pente douce, puis descend vers le sud en pente plus raide. Vous arrivez à l'embranchement en Y par la branche de gauche. A la fourche, vous changez de direction et vous empruntez la bifurcation de droite vers le nord-est. Vous traversez un pays plat, un ruisseau sinueux et à droite vous voyez un petit lac. La route non revêtue devient meilleure, et bientôt vous vous trouvez sur la route en T devant le Meadow Knoll Cemetery, un cimetière de campagne typique avec ses vieilles pierres tombales.

A nouveau, vous orientez votre carte, vous vous dirigez à gauche, vers le nord, sur la route principale. Par mesure de prudence, vous marchez sur le côté gauche de la route en faisant face aux véhicules qui roulent vers vous.

Comme prévu, vous passez tout près d'une ancienne église à votre gauche, puis à droite vous voyez un chemin de

TEMPS (min) POUR COUVRIR UN MILLE (1 609 m)	ROUTE	CHAMPS	BOIS CLAIR-SEMÉ	MONTAGNE ET FORÊT
MARCHE	**15**	**25**	**30**	**40**
COURSE	**10**	**13**	**16**	**22**

Il vous est possible de déterminer la distance que vous avez parcourue d'après le nombre de minutes qu'il vous a fallu pour faire ce trajet. Le temps qu'il faut pour franchir un mille varie selon votre rapidité et la configuration du terrain.

traverse. Et devant vous à gauche, se dresse un versant escarpé et boisé. Que la pente est raide! Voyez comme ces courbes de niveau se resserrent et se confondent. Quelle pourrait bien être la hauteur de cet escarpement? A l'endroit où la route de traverse aboutit à la route principale vous lisez le chiffre 179 sur la carte, c'est l'altitude à ce point. Alors, remontez le versant de l'escarpement. Vous trouverez l'altitude 180, une fine courbe de niveau, puis une courbe plus marquée, 200 pieds (60 m), puis encore plusieurs courbes fines et la courbe de niveau plus marquée de 300 pieds (92 m), puis encore des courbes minces et finalement la grosse courbe de niveau de 400 pieds (120 m). Cette ligne se referme sur elle-même pour marquer le sommet de la colline, mais au centre il y a encore une courbe de niveau qui indique 420 pieds (125 m).

Du haut de cette colline on doit jouir d'une belle vue. Vous décidez de l'escalader. Toutefois, vous ne désirez pas l'attaquer par sa paroi escarpée. La lecture de la carte vous indique que le versant nord est plus accessible.

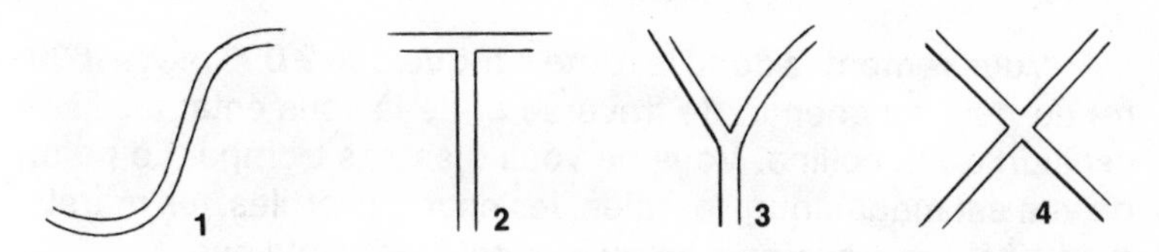

Les termes utilisés pour décrire des emplacements de routes forment le mot STYX: 1. Virage. 2. Route en T. 3. Route en Y ou bifurcation. 4. Croisement ou route en X.

Lorsque vous vous trouvez à un point de repère proéminent ou à un changement de direction, prenez la peine d'orienter votre carte. Vous pourrez alors facilement faire le point et vous saurez où vous êtes exactement.

Vous remontez donc la route sur quelque 2 000 pieds (600 m) au-delà du chemin de traverse et de là vous entamez l'ascension de la colline. Vous ne vous êtes pas trompé. Le point de vue est magnifique: la vallée, les champs fertiles, les marais d'un beau vert profond jusqu'aux collines lointaines.

Puis, après avoir descendu la colline, vous reprenez la route vers le nord jusqu'au point où elle s'infléchit vers le nord-ouest, vous dirigeant vers la gauche. Il devrait y avoir une route non revêtue. Effectivement, il y a une route en très mauvais état. Mais c'est certainement la bonne direction, car non loin de là il y a une ferme et deux granges qui occupent des emplacements identiques à ceux sur la carte. Vous vous engagez sur cette route et vous constatez que vous êtes sur le bon chemin car, au fur et à mesure que vous avancez, vous voyez se dresser à droite le versant escarpé de Huckleberry Mountain.

Peu à peu, la route devient meilleure et devant vous vous pouvez distinguer des voitures qui filent à belle allure. Cependant, avant de parvenir à la route principale, vous prenez le chemin de terre à gauche afin de vous tenir à l'écart de la circulation routière et, peu après, vous arrivez à un endroit qui vous est familier: la route en T que vous avez prise en commençant votre randonnée. Maintenant, vous tournez à droite et vous voilà de retour à votre point de départ, le croisement au sud de Log Chapel.

Excursion, carte en main

L'excursion que vous avez faite au moyen de la carte fut relativement simple, surtout parce que vous l'avez faite sur la carte sans vous rendre en pleine campagne.

Mais maintenant, procurez-vous une carte de votre région, tracez-y votre propre itinéraire et suivez-le sur le terrain à l'aide de votre carte.

Lors de vos premiers essais, ne soyez pas trop ambitieux. Une excursion de quatre à cinq milles (6,5 à 8 km) devrait vous familiariser avec l'usage de votre carte. Plus tard vous pourrez entreprendre de plus longues randonnées.

EXERCICES SUR L'EMPLOI DE LA CARTE EN PLEIN AIR

Dès que vous le pourrez, allez en pleine campagne pour mettre vos connaissances à l'épreuve. Des exercices en salle, c'est très bien, mais c'est en pleine campagne que vous pourrez juger de votre habileté.

La chasse aux points de repère

BUT: exercices d'orientation de la carte et de repérage.

Conduisez votre groupe jusqu'à un emplacement élevé où la visibilité est bonne et d'où vous pourrez découvrir plusieurs points de repère. Distribuez à chaque participant une carte topographique de la région, un crayon et une liste de 10 points de repère à situer sur la carte, par exemple:

Marquez d'un cercle sur votre carte

1. l'endroit où vous vous trouvez,
2. l'église qui se trouve au N W,
3. le croisement qui se trouve vers le S,
4. le barrage vers l'E S E,

et ainsi de suite, jusqu'à dix points de repère.

Accordez une limite de temps pour terminer cet exercice, vingt minutes par exemple. Donnez dix points pour chaque repérage correct marqué sur la carte. Ce qui fera 100 points pour dix repérages exacts.

Au lieu d'utiliser une liste de points de repère qui pourraient être douteux et afin d'accroître l'intérêt, plantez en terre des pieux indicateurs dirigés

La chasse aux points de repère en groupe vous apprend à orienter une carte et à repérer sur celle-ci les accidents de terrain importants. Des viseurs peuvent être faits avec des bouts de bois.

vers différents points de repère. Ces pieux avec viseurs peuvent être confectionnés avec des planchettes de bois, 1" X 2" X 10", avec de longs clous qui feront office de viseurs. Une extrémité des viseurs sera pointue, l'autre extrémité sera munie d'un morceau de carton désignant le point de repère vers lequel la pointe est braquée, par exemple: église, pont, etc. Ces viseurs sont fixés, avec des écrous à oreilles, à hauteur de l'oeil, à des montants en bois d'un pouce d'épaisseur. Les participants vont de viseur en viseur en suivant le sens des aiguilles d'une montre.

Parcours jalonné

BUT: cet exercice consiste à suivre un parcours jalonné et à marquer sur la carte les repères ou jalons rencontrés sur cet itinéraire. C'est un excellent entraînement préliminaire qui suscitera de l'intérêt pour l'art de l'orientation. N'importe qui peut y prendre part car il n'exige pas d'habileté particulière. En outre, il n'y a aucun danger de se perdre en cours de route et il peut y avoir autant de participants qu'on le désire.

Tracez sur une carte un itinéraire de deux ou trois milles (3 à 5 km) passant par un certain nombre de repères faciles à déterminer. Suivez ce parcours sur le terrain et jalonnez-le en attachant des serpentins ou des banderoles de couleur d'un pouce de large à des arbres, à des piquets ou à des bâtons, de telle manière que le repère suivant puisse être aperçu du précédent.

A chacun des repères importants, accrochez des banderoles plus larges ou une balise d'orientation (voir page168) et plantez un jalon muni d'une flèche pointée vers le nord afin d'aider les participants à orienter leur carte.

Les participants, munis d'une carte et d'un crayon, partiront à intervalles de deux minutes. Ils auront pour objectif de suivre le parcours jalonné et d'indiquer d'un cercle sur la carte tous les repères pourvus de banderoles de couleur.

Les points pourront être attribués en tenant compte de la vitesse d'exécution. Le gagnant sera le participant qui aura accompli le trajet dans le meilleur temps, à condition que ses indications de repère soient correctes. En cas d'erreur, 5 minutes de pénalisation seront ajoutées à son temps pour chaque indication inexacte.

Au cas où les participants seraient nombreux (vingt ou plus), il serait souhaitable de placer un juge à chaque repère afin qu'il puisse marquer les points des participants à l'emplacement qu'il se charge de contrôler.

Compte-rendu

BUT: allier la lecture de la carte à l'observation afin d'accroître le plaisir que l'on éprouve à cheminer carte à la main.

Choisissez sur une carte six à dix points de repère clairement indiqués sur un parcours de 2 à 4 milles (3 à 6 km) de longueur. Rendez-vous à ces différents endroits et, pour chaque point de repère, élaborez une question que vous poserez sur les caractéristiques du lieu, les accidents du terrain visibles de cet emplacement, etc. Par exemple, quels sont les arbres qui y croissent, quels grands bâtiments se voient de là.

Songez aux points que vous accorderez pour chaque réponse exacte. Faites partir les participants à deux minutes d'intervalle, munis d'une carte, d'un crayon et d'une carte-compte-rendu où se trouvent indiqués la position de chaque repère, la tâche à accomplir et les points que représentent les réponses exactes. L'objectif consiste à gagner un maximum de points dans un délai de trois heures.

Il est permis aux participants de se rendre aux points de repère dans l'ordre qu'ils auront choisi et ils décideront eux-mêmes du nombre d'emplacements qu'ils croient être à même de visiter. Par exemple, il leur sera possible de rechercher en premier lieu le point de repère auquel on a donné le plus grand nombre de points et ensuite de découvrir le plus de repères possible dans la limite de temps prescrite. Les cartes comptes-rendus dûment complétées seront remises en fin de parcours au juge qui établira les cotations finales.

La boussole

DÉCOUVERTE DE LA BOUSSOLE

Il y a bien des années — vers l'an 2 500 av. J.C. — un Chinois à l'esprit observateur remarqua qu'un fragment d'un certain minerai attaché à un morceau de bois flottant sur l'eau se mettait à tourner jusqu'à ce que l'une de ses extrémités pointe vers une direction à mi-chemin entre le lever et le coucher du soleil, direction qu'il connaissait comme étant le sud. Or, si l'une des extrémités indiquait le sud, l'autre devait évidemment pointer vers le nord.

De cette découverte naquit l'aiguille aimantée, aiguille qui repose sur une pointe de métal, ce qui lui permet de pivoter en tous sens.

Si l'on n'y touche pas, cette aiguille s'arrêtera d'elle-même, une des extrémités pointée vers le nord. Cette extrémité est clairement indiquée dans les boussoles en vente dans le commerce. Elle est peinte en noir ou en rouge et parfois marquée de l'initiale N, ou bien elle a la forme d'une pointe de flèche.

Le nord magnétique

C'est le magnétisme terrestre qui est la force d'attraction agissant sur l'aiguille aimantée, à la manière d'un gigantesque aimant dont une extrémité serait le nord, l'autre le sud. L'extrémité nord est le pôle magnétique vers lequel pointe l'extrémité nord de l'aiguille de la boussole quand elle s'immobilise.

Si vous êtes de cette catégorie de personnes qui n'aiment pas les choses compliquées, il faudrait que le pôle nord magnétique coïncide exactement avec le pôle nord géographique. Tel n'est malheureusement pas le cas. Le pôle nord magnétique qui attire l'aiguille aimantée, est situé à environ 1 400 milles (2 250 km) au sud du pôle nord géographique, c'est-à-dire au nord de la baie d'Hudson et de la côte nord du Canada. Ce qui signifie que pour vous orienter il vous faudra tenir compte de ces deux directions nord: le nord géographique indiqué sur votre carte et le nord magnétique que vous découvrirez à l'aide de l'aiguille de votre boussole. Tôt ou tard, il vous faudra encore déplacer les positions de ces deux nords, mais pour le moment nous nous occuperons de la direction nord indiquée par l'aiguille de la boussole.

Perfectionnement de la boussole

Après l'invention de l'aiguille aimantée, quelqu'un eut l'heureuse idée de la protéger en l'enfermant dans une boîte en métal qui, au début, n'était qu'un habitacle en laiton rempli d'air et dans lequel l'aiguille posée sur une pointe pivotait librement: *boussoles à air, boussoles ordinaires.*

Au stade suivant, on s'efforça de trouver un moyen pour freiner les oscillations de l'aiguille aimantée afin qu'elle s'immobilise rapidement. Plusieurs dispositifs ont été créés à cet effet. Certaines boussoles modernes consistent en un habitacle où sur un pivot se meut une aiguille aimantée dont les oscillations engendrent des courants électriques qui provoquent l'arrêt rapide de l'aiguille: *les boussoles à induction amortie.* Le procédé le plus efficace utilisé dans les boussoles modernes de prix plus élevé consiste à remplir l'habitacle d'un liquide qui ralentit les vibrations de l'aiguille et l'immobilise très rapidement: ce sont *les boussoles à liquide.*

Le cadran de la boussole était naguère divisé en trente-deux secteurs tout comme la boussole marine. Puis, l'on proposa la division en 360 degrés, division qui remplace à présent les trente-deux secteurs de la rose des vents. Et finale-

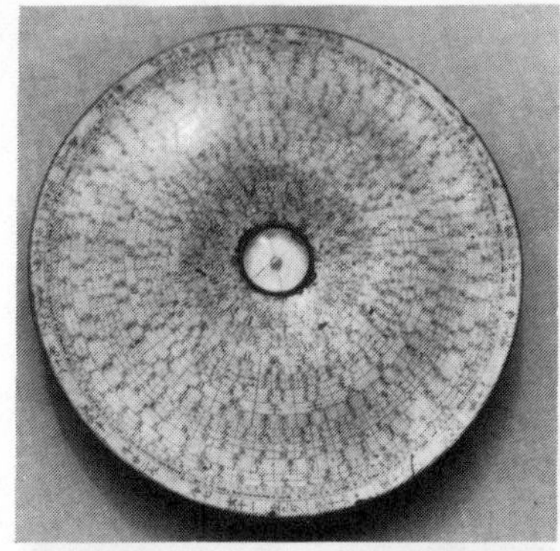

L'histoire de la boussole remonte à environ 800 ans. Les archives démontrent que la boussole à aiguille magnétique a été utilisée par les navigateurs chinois aux alentours de 1100, de même que par les marchands arabes vers 1220 et les Vikings en 1250.

La boussole solaire à base octogonale en or fut conçue à Paris par Claude Langlois vers 1725.

Les boussoles Diptych furent construites en ivoire par des artisans européens de Nuremberg, Hans Ducher (1576) et Hans Troschel (1624).

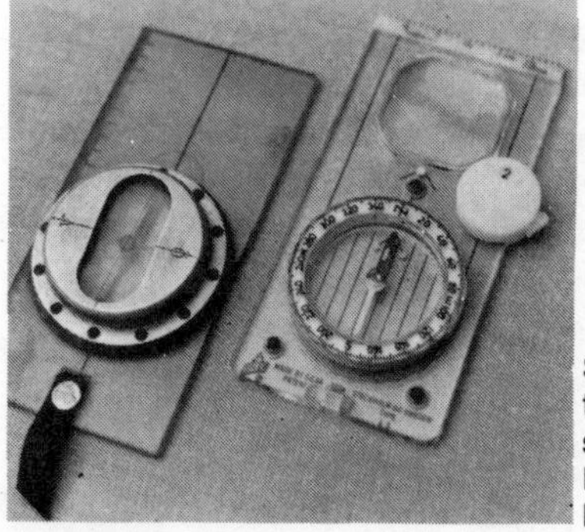

Silva a développé à partir du prototype en métal des années 30, une boussole moderne en plastique dénommée boussole de course d'orientation, pour les adeptes de ce sport.

ment, la classique boussole de poche fut perfectionnée et devint la boussole d'orientation moderne dont l'habitacle pivote sur une base transparente qui sert de rapporteur et de repère de direction.

La boussole de ce genre élimine tout travail au hasard pour s'orienter et rend beaucoup plus aisé et précis l'usage combiné de la carte et de la boussole. Cette boussole d'orientation vraiment nouvelle se présente sous différents modèles: à air, à induction amortie et à liquide.

EXERCICES SUR LA ROSE DES VENTS

Dans les pages suivantes, nous nous référerons fréquemment aux seize directions les plus employées de la rose des vents. Avant de poursuivre, familiarisez-vous d'abord parfaitement avec ces seize dénominations.

La rose des vents

BUT: apprendre les seize directions traditionnelles.

Le compas ou boussole marine comprend non seulement la rose-des-vents avec ses anciennes dénominations, mais aussi les 360 degrés du cercle.

Etudiez bien la rose des vents, page 68, puis inscrivez rapidement les seize points de direction sur la figure reproduite au bas de cette page.

Pour un groupe, distribuez à chaque participant une copie du dessin ci-dessous. Au signal "Partez", chaque joueur inscrit en regard de chaque trait les seize directions de la rose des vents. Le joueur qui aura, le premier, rempli correctement la figure sera déclaré le vainqueur.

Faire face aux directions

BUT: revision rapide des seize directions de la rose des vents.

Tenez-vous debout au milieu de la pièce face à l'un des murs. Imaginez que le point droit devant vous est le nord. Puis, pivotez rapidement en faisant face successivement au Nord, ensuite Sud, Ouest, Est, Nord-Ouest, Sud-Est, Nord-Est, Sud-Ouest, Nord-Nord-Est, Sud-Sud-Ouest, Est, Sud-Est, Ouest-Nord-Ouest, Sud-Sud, Est, Sud-Est, Ouest-Nord-Ouest, Sud-Sud, Est, Ouest-Sud-Ouest, Est-Nord-Est, Nord-Nord-Ouest.

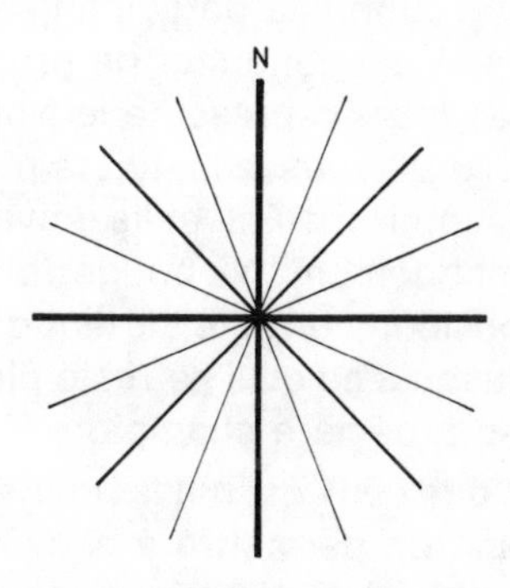

Etudiez la rose-des-vents, puis inscrivez au crayon les seize points de direction traditionnels.

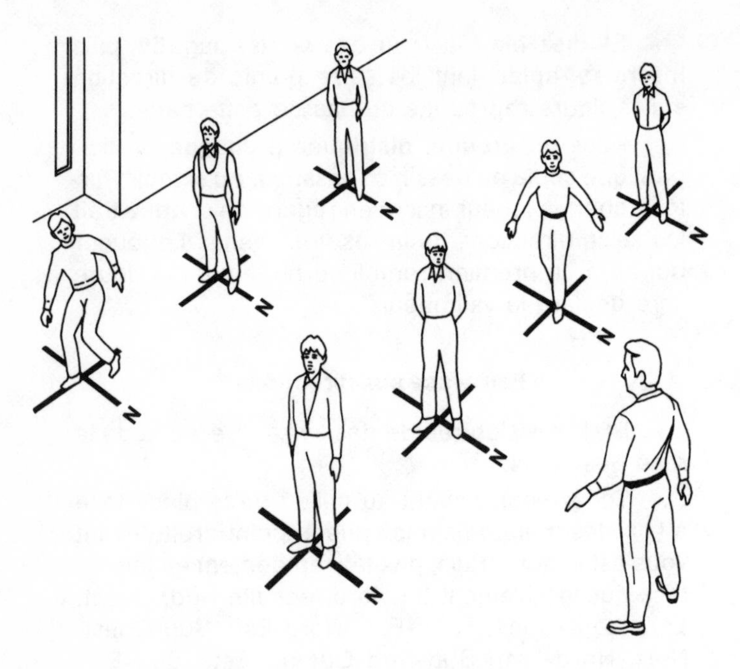

Faire face aux directions est un jeu peu compliqué qui aide à fixer dans la mémoire les principales directions de la boussole. Il peut se jouer à l'intérieur aussi bien qu'en plein air.

Pour un groupe, les participants s'alignent en rangs séparés, à une longueur de bras les uns des autres. Un des murs représente le Nord. Au signal "Nord-Est, partez!" Tous les joueurs pivotent et font face à la direction Nord-Est, et ils doivent s'immobiliser au commandement "Ne bougez plus." Ceux qui n'ont pas la position correcte sortent du jeu. La partie continue jusqu'à ce qu'il ne reste plus qu'un seul joueur — il sera déclaré champion.

Ou bien, que ceux qui ont la bonne position sortent du jeu afin de permettre à ceux qui n'ont pas encore bien saisi les directions de s'entraîner à loisir.

SE DÉPLACER AU MOYEN DE LA BOUSSOLE

La boussole peut être utilisée seule — sans l'aide d'une carte — principalement dans les trois cas suivants:

1. Trouver des directions ou des repères depuis un emplacement déterminé.
2. Suivre une direction depuis un emplacement déterminé.
3. Revenir à votre point de départ.

La boussole ordinaire

Supposons que l'instrument dont vous vous servez soit la boussole ordinaire, c'est-à-dire une aiguille aimantée suspendue sur un pivot dans une boussole marquée de 360 degrés.

Trouver une direction

Supposons que vous vous trouviez au sommet d'un endroit élevé ou en terrain découvert. Vous désirez trouver les directions vers tel ou tel point de repère du paysage: une colline éloignée, un clocher, un château d'eau, etc.

Vous vous plantez bien en face de la direction que vous désirez repérer en tenant votre boussole devant vous, d'une main ferme. De l'autre main, vous tournez doucement le boîtier de la boussole jusqu'à ce que la pointe nord de l'aiguille se superpose à la marque indiquant le nord sur l'habitacle de la boussole.

A présent regardez, en visant le centre de la boussole, et sur le côté opposé à vous vous lirez le chiffre du degré sur la cuvette de la boussole. Vous aurez ainsi, exprimée en degrés, la direction vers votre point de repère.

Il est évident que cette façon de procéder n'est pas très précise. Il peut y avoir des écarts de quelques degrés dans les

La boussole ordinaire est généralement du type boîtier de montre. La boussole est orientée quand la partie Nord de l'aiguille aimantée se superpose à la flèche Nord au fond du boîtier.

deux sens. C'est pourquoi les boussoles de qualité à boîtier sont pourvues d'un dispositif de visée comprenant un verre grossissant (boussole à lentille) ou un prisme (boussole prismatique) qui permettent une lecture plus précise. Mais ces dispositifs augmentent assez considérablement le prix de la boussole sans la rendre vraiment plus utile.

Suivre une direction

Supposons maintenant que vous désiriez explorer le sommet d'une colline que vous apercevez au loin, de l'endroit où vous vous trouvez. Vous avez pris la décision d'y arriver en passant à travers les champs et les prairies qui s'étalent devant vous.

Vous cherchez votre orientation par repères vers votre point de destination selon la méthode décrite plus haut. Disons que vous la trouvez à 140°. Souvenez-vous de ce chiffre. Ou encore mieux, prenez-en note, car il se pourrait que plus tard vous doutiez de votre mémoire.

Vous vous mettez en route vers votre but. Au début, c'est facile, vous le voyez là, droit devant vous. Mais soudain il disparaît. Vous venez de descendre un versant et des arbres devant vous vous en cachent la vue. C'est à ce moment-là que vous commencerez à vous diriger à l'aide de votre boussole.

La direction que vous devez suivre est de 140°. Vous tenez votre boussole en main, le boîtier tourné de sorte que la marque de 140° soit juste en face de vous, de l'autre côté du centre de la boussole. Vous pivotez sur vous-même jusqu'à ce que la boussole soit bien orientée, c'est-à-dire jusqu'à ce que la flèche Nord de l'aiguille aimantée soit superposée à 360°, la marque Nord de l'habitacle.

Maintenant, visez par le centre de la boussole vers la marque de 140° du boîtier. Prenez un point de repère dans cette direction — un grand rocher, un arbre qui se détache du paysage — et dirigez-vous vers ce point de repère. Rendu là, vous vous orientez de la même manière vers un autre point de repère, et ainsi de suite, vous poursuivez votre marche à travers champs jusqu'à ce que vous atteigniez votre destination.

Revenir au point de départ

Lorsque vous aurez suffisamment exploré le terrain alentour du but que vous vous étiez fixé, il sera temps de songer à votre voyage de retour.

Vous vous êtes déplacé dans une direction de 140°. Pour obtenir l'orientation vers votre point de départ, vous ajoutez 180° — le nombre de degrés qui constituent un demi-cercle. Le résultat sera 320°. (Si le nombre de degrés de votre direction à l'aller avait été supérieur à 180°, il conviendrait de soustraire 180°, au lieu de les additionner).

Rappelez-vous bien le nombre de degrés —320°, pour vous diriger dans votre voyage de retour. Notez-le afin de ne pas vous tromper.

Faites comme précédemment: tenez votre boussole dans le creux de la main de telle manière que la marque de 320° soit bien en face de vous, de l'autre côté du centre de la boussole. Pivotez sur vous-même jusqu'à ce que la boussole soit bien orientée, c'est-à-dire la flèche Nord de l'aiguille pointant vers la marque Nord du réceptacle, puis visez en direction du premier point de repère de votre voyage de retour.

Si la lecture de vos directions a été faite avec précision et si vous avez bien visé, vous ne devriez avoir aucune difficulté à revenir à votre point de départ.

La boussole perfectionnée

Vous vous dirigeriez beaucoup plus aisément si, au lieu d'utiliser la boussole ordinaire, vous faisiez usage d'une boussole moderne, plus perfectionnée — *Pathfinder, Rambler, Explorer, Huntsman,* ou quelque autre boussole basée sur le système Silva.

Une boussole de ce genre vous donne immédiatement les directions, sans que vous ayez à trouver et à vérifier le nombre de degrés; vous n'aurez pas non plus à le garder en mémoire. Elle vous donne aussi les directions pour le retour, sans que vous ayez à faire des additions ou des soustractions. Elle élimine donc les erreurs de calcul que vous pourriez commettre et qui pourraient avoir des conséquences désastreuses. Utilisée de concert avec une carte, cette boussole perfectionnée constitue en quelque sorte une combinaison de boussole, de rapporteur et de règle graduée en un seul instrument.

Les éléments d'une boussole perfectionnée

La boussole perfectionnée se compose de trois éléments essentiels: une aiguille aimantée, un habitacle tournant et une plaque de base transparente. Chaque élément a sa fonction propre. Une fois combinés, ces trois éléments font de la boussole un instrument pratique d'une grande efficacité.

L'aiguille aimantée est suspendue sur une pointe, aussi effilée que celle d'une aiguille à coudre, autour de laquelle elle pivote librement sur un support en saphir. L'extrémité nord de l'aiguille est peinte en rouge. Sur certains modèles, elle est marquée d'un trait lumineux.

Sur le rebord supérieur de la cuvette sont indiquées les initiales des quatre points cardinaux: Nord, Est, Sud, Ouest.

Le rebord inférieur est divisé en degrés. L'espace entre les lignes représente deux degrés. Tous les vingt degrés, une ligne plus marquée indique un multiple de vingt — de 20 à 360. Le fond de la cuvette est pourvu d'une flèche dirigée dans le même sens que le 360° N du boîtier. Cette flèche est la flèche d'orientation. La boussole est orientée, c'est-à-dire tournée de telle manière que la marque Nord de la boussole soit pointée vers le pôle nord magnétique chaque fois que l'extrémité Nord de l'aiguille aimantée coïncide avec la flèche d'orientation en direction de la lettre N marquée sur le boîtier.

Dans l'habitacle sont gravées plusieurs autres lignes qui sont toutes parallèles à la flèche d'orientation: ce sont les lignes d'orientation de la boussole. Certains modèles ont un boîtier transparent.

L'habitacle de la boussole est attaché à une plaque de base transparente de telle sorte qu'on puisse le tourner aisément. Une ligne de direction et une flèche indiquant la direction de marche sont gravées sur cette plaque de base. La ligne de direction part de la base du boîtier où elle indique le degré auquel l'habitacle est réglé. Cette ligne est tracée jusqu'au bord de la plaque et se termine par une flèche indiquant la direction de marche. Les côtés de la plaque de base sont parallèles à la ligne de direction.

Les côtés de la plaque de base sont gradués, sur certains modèles en pouces et en millimètres; sur d'autres figurent les échelles de carte les plus courantes.

Trouver une direction

Se diriger en faisant le point avec une boussole perfectionnée est chose aisée:

Placez-vous bien en face du point dont vous voulez relever la direction. Tenez la boussole en main devant vous sur un plan horizontal, à peu près à hauteur de la taille ou un peu plus haut, la flèche de direction de marche pointée directement devant vous.

Orientez votre boussole, c'est-à-dire ajustez les directions de la boussole aux directions similaires du champ, en tournant le boîtier sans que la plaque de base bouge, jusqu'à ce que l'aiguille aimantée repose sur la flèche d'orientation du fond de votre réceptacle, l'extrémité nord pointée vers la lettre N du rebord supérieur.

Lisez les degrés de la direction — l'orientation — sur le bord extérieur de la boussole à l'endroit où l'index touche l'habitacle.

Ce n'est pas plus difficile que cela. Avec une boussole perfectionnée, pas de visée au-dessus du centre et vers l'extérieur et pas de lecture imprécise comme avec la boussole ordinaire.

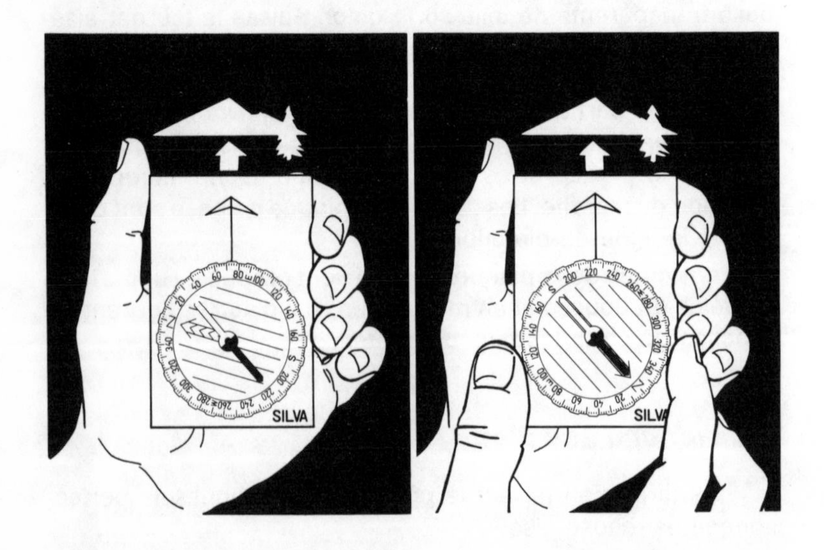

Pour trouver une direction avec une boussole perfectionnée, pointer la flèche de direction de marche vers votre point de repère. Tourner ensuite le boîtier jusqu'à ce que l'aiguille se superpose à la flèche d'orientation.

EXERCICE D'ORIENTATION À L'INTÉRIEUR

Avant de vous hasarder en plein air, familiarisez-vous avec la boussole en vous en servant à la maison.

Repérez des directions chez vous

BUT: apprendre à se servir de la boussole perfectionnée en relevant des repères.

Tenez-vous au milieu de la pièce. Boussole en main, orientez-vous vers dix directions différentes selon la méthode décrite à la page 75 — par exemple, vers la poignée de la porte, le pied de la table le plus rapproché, le coin de la fenêtre, un tableau au mur, etc.

Préparatifs du jeu pour un groupe: inscrivez à la craie sur le parquet autant de numéros qu'il y a de joueurs. Attachez au mur, avec du ruban adhésif, le même nombre de cartes numérotées. Puis, de chaque numéro sur le parquet, lisez les degrés d'orientation vers chaque numéro attaché au mur et faites-en une liste. Chaque participant doit avoir une boussole perfectionnée, un crayon et une feuille de papier. Chaque joueur se place sur un des numéros inscrits à la craie, un joueur par numéro et la partie commence. Au signal: "Partez", chaque participant relève la lecture en degrés en direction de la carte au mur portant le même numéro que celui où il se trouve et il note sur sa feuille les degrés qu'il a relevés, ainsi que le numéro de la carte. Au signal: "Changez", tous les joueurs se déplacent d'un numéro: le un va au deux, le deux au trois, et ainsi de suite. Lorsque les participants sont en place, on donne à nouveau le signal: "Partez", et chaque joueur relève sa nouvelle direction vers la carte portant le même numéro que celui sur lequel il se trouve. Et ainsi de suite pour cinq ou six relevés. Evidemment, le joueur ayant effectué les relevés les plus exacts, à dix degrés près, sera déclaré vainqueur.

Sous forme de relais: au lieu d'écrire autant de numéros qu'il y a de joueurs, écrire seulement un numéro pour chaque équipe sur le sol. Le nombre de cartes numérotées est égal à celui du nombre de joueurs par équipe. Chaque équipe a une boussole d'orientation. Au signal: "Partez", le premier joueur de chaque équipe de relais court à sa marque sur le sol et fait son relevé de degrés en face de la carte numéro 1. Il revient et touche le second joueur qui court en face de la carte numéro 2, etc. L'équipe qui a le plus de relevés exacts a gagné.

EXERCICE D'ORIENTATION À L'EXTÉRIEUR

BUT: relevé de directions sur le terrain avec une boussole perfectionnée.

Placez-vous en un endroit où plusieurs repères naturels sont particulièrement visibles. Avec l'aide de la boussole, déterminez l'azimut exact de chacun de ces repères avec la méthode décrite à la page 75.

Pour un groupe, placez-vous sur une hauteur géographique et placez un certain nombre de viseurs tels que décrits à la page 61. Chaque viseur indique un repère proéminent. Amenez votre groupe à cet endroit, chacun étant muni d'une boussole, d'un crayon et d'une feuille de papier. Chaque personne du groupe passe de viseur en viseur et évalue le point de mire avec sa boussole. Vous pouvez établir un temps limité, par exemple 20 minutes et accorder dix points pour chaque relevé correct avec une marge d'erreur de 5 degrés.

Suivre une direction

Supposons que vous vous trouviez sur le terrain et que vous soyez résolu à parcourir la campagne à travers champs jusqu'au sommet d'une colline déterminée, là-bas, au loin.

Vous réglez votre boussole par rapport à la direction du sommet de la colline, en tenant votre boussole en main de telle manière que la flèche de la ligne de direction soit pointée

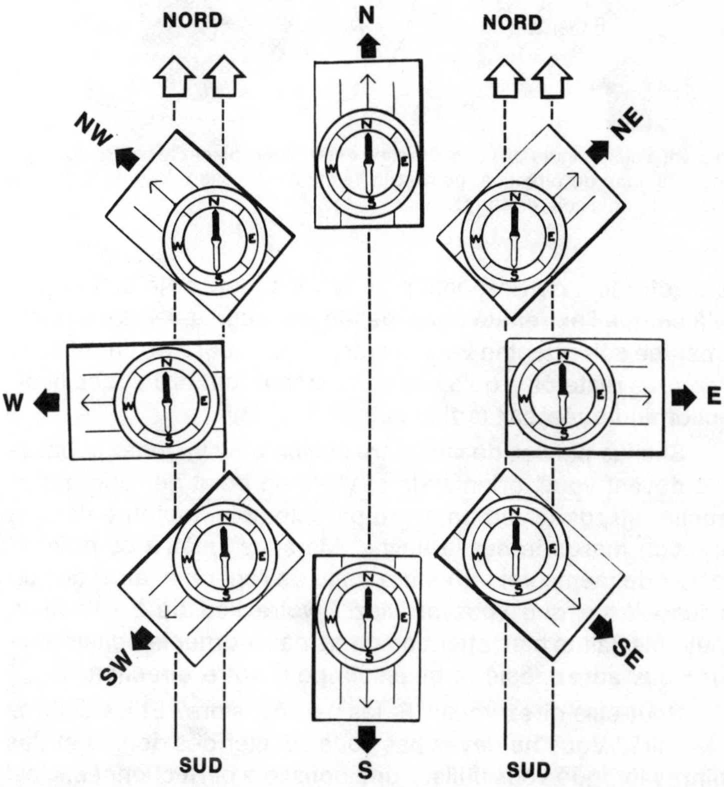

Pour vous guider dans votre marche en direction des quatre points cardinaux et des quatre points intermédiaires, pointez la ligne de direction de la base dans le sens de la direction de marche, orientez la boussole et suivez la direction indiquée par la flèche.

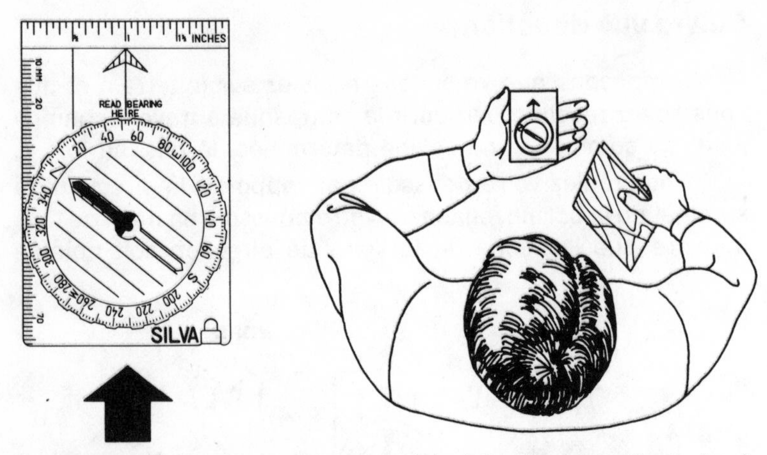

Pour vous acheminer dans une direction déterminée, placez le chiffre du degré face à la ligne de direction, pointez la flèche de direction droit devant vous, orientez la boussole et partez.

vers votre lieu de destination, puis vous tournez le boîtier jusqu'à ce que l'extrémité nord, peinte en rouge, de votre aiguille aimantée soit orientée vers la lettre N du rebord de l'habitacle. Il ne vous reste plus qu'à vous acheminer tout droit dans la direction indiquée par la flèche.

Si vous perdez de vue votre colline au loin, tenez la boussole devant vous, orientez-la et visez un point de repère plus proche, un rocher ou un arbre par exemple, toujours dans la direction marquée par la flèche. Marchez jusqu'à ce point et opérez de même vers un autre point de repère, et ainsi de suite jusqu'à ce que vous arriviez à votre lieu de destination. Toutefois, faites bien attention de ne pas tourner le boîtier lorsque vous aurez réglé la boussole pour votre direction.

Peut-être direz-vous: "Et les degrés, alors? Et les chiffres à retenir?" Vous ne devez pas vous soucier des degrés et des chiffres lorsque vous utilisez une boussole perfectionnée; c'est un de ses grands avantages. Votre boussole une fois réglée, vous n'avez pas à vous rappeler quoi que ce soit. Vous vous orientez et vous poursuivez votre route.

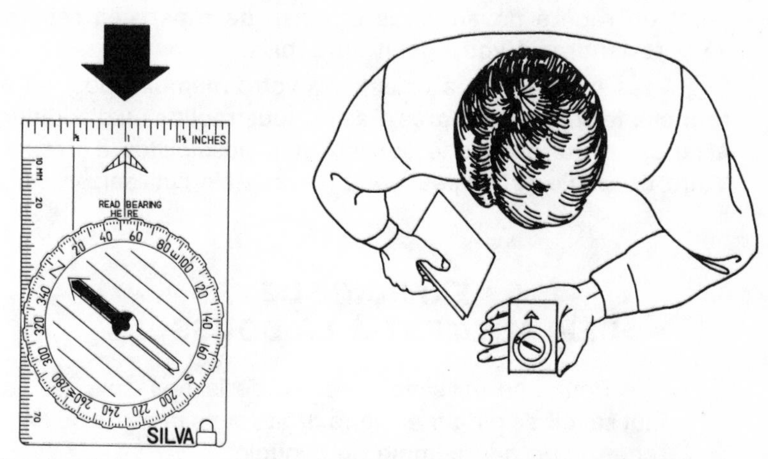

Pour le retour, inutile de régler la boussole de nouveau. Braquez la flèche de direction vers vous, orientez la boussole et marchez dans la direction opposée à la flèche.

Revenir au point de départ

Vous avez atteint votre lieu de destination, puis vous décidez de revenir à votre point de départ. Comment ferez-vous?

Votre boussole est déjà réglée pour le retour.

Lors de votre départ, vous teniez la boussole, la flèche de direction pointée devant vous et dirigée vers votre lieu de destination. Il est donc évident que le côté arrière de la base se trouvait en sens opposé et pointait vers l'endroit d'où vous êtes parti.

Tenez-en compte pour revenir à votre point de départ. Comme d'habitude, maintenez fermement la boussole sur un plan horizontal, mais, cette fois-ci, en braquant la flèche de direction vers vous. Orientez la boussole en pivotant sur vous-même, sans toucher au boîtier, jusqu'à ce que l'extrémité nord de l'aiguille aimantée pointe vers l'initiale N du rebord supérieur. Du regard, choisissez un point de repère devant vous en direction opposée à la flèche. Acheminez-vous vers ce point de repère. Orientez la boussole à nouveau, trouvez un autre point de repère devant vous et ainsi, de repère en repère, vous reviendrez à votre point de départ.

Vous n'aurez pas à vous fier à votre mémoire pour vous rappeler le chiffre de degrés. Pas de soustraction ou d'addition à faire, ce qui comporte souvent des possibilités d'erreurs. Votre boussole est réglée, vous n'avez qu'à l'utiliser en sens inverse.

EXERCICE DE DÉPLACEMENT À LA BOUSSOLE

Pour une utilisation précise de la boussole, il faut savoir se diriger en ligne droite sans prendre de repères, un peu comme un aveugle.

Déplacement avec boussole, sans repère

BUT: apprendre à se déplacer en ligne droite en s'orientant uniquement avec la boussole.

Cherchez un terrain plat et découvert. Plantez un piquet dans le sol. Réglez votre boussole dans n'importe quelle direction. Couvrez-vous la tête au moyen d'un sac de papier afin de ne voir par en bas que la boussole orientée vers l'azimut que vous vous êtes choisi. Tournez sur vous-même trois fois et faites 50 pas dans la direction indiquée par la boussole. Arrêt et demi-tour, c'est-à-dire la flèche de direction tournée vers vous. Faites 45 pas dans cette direction. Vous devriez vous retrouver à moins de 10 pas de votre point de départ.

Pour un groupe, enfoncer dans le sol un nombre de piquets égal à la moitié de votre groupe de joueurs et espacés de 5 pieds (1,50 m) du nord vers le sud. Diviser le groupe en deux équipes et placer un membre de chaque équipe à chacun des piquets. Les membres d'une équipe règlent leurs boussoles entre 45 et 115 degrés, les membres de l'autre équipe entre 225 et 315 degrés. Chaque joueur place un sac de papier sur sa tête, fait trois tours sur lui-même et suit la direction indiquée par sa boussole sur une distance de 50 pas. Ensuite, demi-tour sur une distance de 45 pas. Seuls les joueurs qui s'arrêteront à moins de 10 pas de leur piquet marqueront des points. L'équipe gagnante est celle qui totalise le plus grand nombre de points.

SUR LE TERRAIN

Jusqu'à présent, nous avons supposé que vous vous trouviez sur le terrain... Maintenant, il est grand temps que vous vous rendiez en pleine campagne pour vérifier et améliorer vos connaissances sur la boussole.

Parcours en trois manches

Commencez par un essai de parcours à la boussole sur une courte distance.

Etes-vous prêt à parier 25 cents sur votre adresse à vous orienter? Eh bien alors déposez une pièce de 25 cents sur le sol entre vos pieds. Réglez votre boussole vers une direction arbitraire entre 0 et 120 degrés en faisant tourner le boîtier jusqu'à ce que la ligne de direction soit en regard du degré dont vous avez convenu.

Supposons que ce soit 40 degrés. Parfait! Voilà votre boussole réglée pour un parcours en direction de 40 degrés. Tenez bien la boussole sur un plan horizontal, la flèche de direction pointée devant vous. Pivotez sur vous-même jusqu'à ce que l'aiguille aimantée soit orientée, c'est-à-dire jusqu'à ce que l'extrémité nord de l'aiguille soit braquée vers le N du boîtier. Regardez droit devant vous et choisissez un point de repère bien en ligne avec votre direction de 40°. Acheminez-vous vers ce point de repère, sans regarder votre boussole,

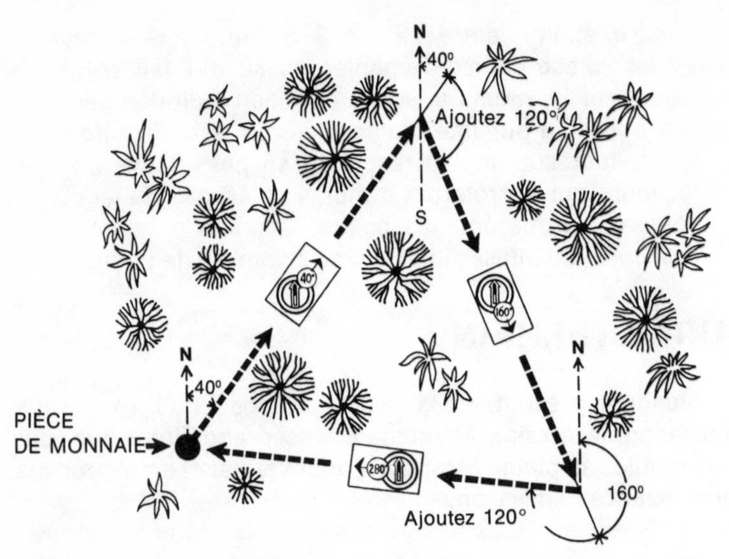

Un exercice facile d'utilisation de la boussole: faites ce parcours en trois manches. Faites votre réglage de direction et ajoutez 120° à chaque réglage successif.

comptez 40 enjambées, soit environ 100 pieds (30,5 m) et arrêtez-vous. De nouveau, jetez un coup d'oeil à votre boussole. Ajoutez 120° à votre chiffre de 40°, ce qui fait donc 160°. Réglez à nouveau votre boîtier de sorte que votre ligne de direction soit en regard de la marque de 160°. Encore une fois, maintenez la boussole bien horizontalement, la flèche de direction pointée directement en avant, et pivotez sur vous-même jusqu'à ce que l'aiguille aimantée repose sur la flèche d'orientation au fond de l'habitacle, l'extrémité nord braquée vers N. Redressez-vous et repérez un accident du paysage dans la direction de 160°. Avancez de 40 pas, puis arrêtez-vous.

Une fois de plus, ajoutez 120° à votre réglage de 160°, ce qui vous donne 280°. Réglez votre boussole, déterminez votre direction de marche et faites 40 enjambées dans la direction qu'indique la flèche. Arrêtez-vous, penchez-vous et ramassez votre pièce de 25 cents. Elle devrait se trouver à vos pieds, si votre lecture de la boussole et votre parcours ont été faits correctement.

Comment cela se fait-il? Jetez un coup d'oeil au diagramme, page 84. Vous avez parcouru les trois côtés d'un triangle équilatéral. Lorsque vous terminez ce parcours, vous devriez vous retrouver exactement à votre point de départ.

Entraînez-vous à cet exercice deux ou trois fois. Chaque fois, au moment du départ, effectuez un réglage entre 0° et 120°.

Maintenant que vous avez compris ces opérations, vous vous rendrez compte qu'il n'est pas nécessaire que vous vous borniez à un réglage de départ de 0 à 120°. Nous avons d'abord opéré de cette manière en vue de simplifier la lecture des réglages. Il vous est loisible de choisir n'importe quel degré. Il faudra toutefois vous rappeler que lorsque le chiffre de vos additions est supérieur à 360, vous devrez en soustraire 360 pour obtenir votre direction.

Voici un exemple: votre première direction est de 225°. Votre seconde direction sera 225 plus 120°, soit 345°. Votre troisième direction, 345 plus 120°, soit 465°. Puisque ce chiffre ne figure pas sur votre boussole, vous en déduisez 360° et vous obtenez alors 105°, votre troisième direction.

EXERCICES D'ORIENTATION EN PLEIN AIR

Lorsque vous serez à même d'utiliser votre boussole promptement et avec adresse, allez à la campagne pour vous entraîner à des exercices pas trop compliqués.

Chasse à la pièce d'un dollar en argent

BUT: entraînement à relever des directions et à les suivre.

La chasse à la pièce d'un dollar en argent est tout bonnement le parcours en trois manches décrit à la page 83 transformé en un projet pour un petit groupe de participants, par exemple une patrouille de Scouts.

Il vous faudra autant de fausses pièces de dollar en argent qu'il y a de participants. A cet effet vous pourriez découper dans des boîtes de conserve en métal des cercles de la même dimension que les pièces de monnaie. Il vous faudra aussi un certain nombre de cartes d'instructions indiquant les distances et les directions en degrés, par exemple:

40 pas 90° — 40 pas 210° — 40 pas 330° — ou
50 pas 45° — 50 pas 165° — 50 pas 285° — ou
45 pas 18° — 45 pas 138° — 45 pas 258° — etc.

Remarquez que sur une même carte d'instruction la distance à parcourir est toujours la même (40, 45 ou 50 pas) et que les directions commencent par des orientations en degrés de moins de 120 degrés, auxquelles on ajoute d'abord 120°, puis encore 120°.

Dispersez les participants dans un champ où l'herbe est haute ou dans un bois clairsemé avec beaucoup de broussailles. Déposez une pièce de fausse monnaie aux pieds de chaque joueur. Au signal de départ, chaque joueur repère sa première orientation, parcourt sa première distance et s'arrête. Lorsque tous les participants sont arrêtés, on donne le signal suivant et chacun repère la deuxième orientation indiquée sur sa carte, parcourt sa seconde distance et s'arrête. Au troisième signal, tous les joueurs font leur troisième parcours et s'arrêtent. Au quatrième et dernier signal, tout le monde se baisse pour ramasser la pièce qui devrait se trouver aux pieds des joueurs ou pas très loin, si la lecture des directions a été faite correctement. Chaque joueur qui ramasse sa pièce marque 100 points.

Le cercle aux azimuts

BUT: réglage de la boussole sur une direction (azimut) en degrés et déplacement le plus précis possible. (Tel que décrit par Allan Foster).

Ce jeu peut avoir lieu dans une cour d'école, un parc ou un camp de Scouts. Les préparatifs constituent à placer sur un large cercle 8 piquets marqués I, O, U, L, Z, P, A et E.

Ce jeu consiste à placer les huits piquets à distance égale d'un piquet central mais dans des directions différentes.

Pour placer avec précision ces piquets, vous avez également besoin d'un piquet central, d'une corde d'au moins 50 pieds (15 m) et d'une boussole. Vous placez pour commencer le piquet central du cercle. Attachez-y votre corde qui vous indiquera à

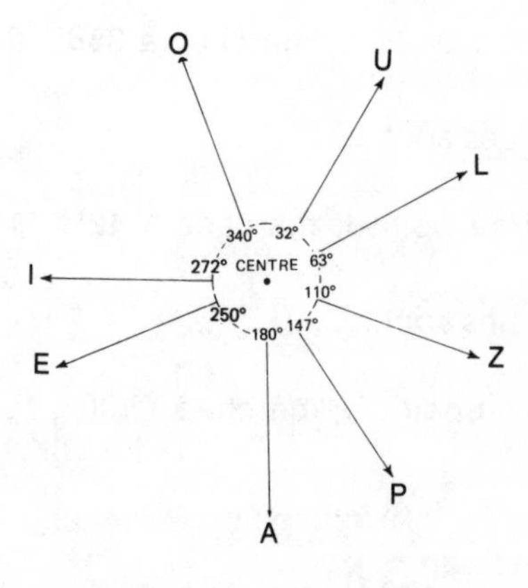

Pour ce jeu, il faut placer huits piquets à distance égale d'un piquet central mais dans des directions différentes.

quelle distance vous devez poser vos piquets. Avec la boussole, mesurez les différentes directions telles qu'indiquées à la page 87, à partir du piquet central, tendez chaque fois la corde dans la direction indiquée et posez le piquet à la distance voulue. Le succès de ce jeu dépend de la précision de votre installation.

Pour jouer, chaque participant a une boussole, un crayon et une carte d'instruction. La carte lui indique la lettre du point de départ et les 5 directions à suivre à la boussole de piquet en piquet. Un exemple de carte est donné pour dix joueurs. Si votre groupe est plus grand, mettez plusieurs joueurs sur le même circuit.

1) Départ au point A; marchez à 305°, 29°, 100°, 162°, 221°.
Les lettres lues sont....................

2) Départ au point E; marchez à 358°, 68°, 140°, 198°, 252°.
Les lettres lues sont....................

3) Départ au point I; marchez à 42°, 112°, 178°, 236°, 305°.
Les lettres lues sont....................

4) Départ au point O; marchez à 100°, 162°, 221°, 287°, 358°.
Les lettres lues sont....................

5) Départ au point U; marchez à 140°, 198°, 252°, 320°, 42°.
Les lettres lues sont....................

6) Départ au point L; marchez à 178°, 236°, 305°, 29°, 100°.

Les lettres lues sont...................

7) Départ au point Z; marchez à 221°, 287°, 358°, 68°, 140°.

Les lettres lues sont...................

8) Départ au point P; marchez à 252°, 320°, 42°, 112°, 178°.

Les lettres lues sont...................

9) Départ au point A; marchez à 320°, 68°, 162°, 236°, 305°.

Les lettres lues sont...................

10) Départ au point E; marchez à 29°, 112°, 198°, 287°, 358°.

Les lettres lues sont...................

Si un joueur a la carte avec le point de départ E et les azimuts 125, 26, 292, 222 et 106, il écrira les lettres E, A, L, O, I, Z.

Dès que le jeu est expliqué et parfaitement bien compris, tous les participants se rendent à leur point de départ respectif avec leur carte d'instruction. Chaque joueur relève les lettres vers lesquelles il se dirige en suivant les azimuts donnés et les inscrit sur sa carte. Vous pouvez vérifier les bonnes réponses à la page217.

Parcours réduit avec boussole

BUT: une superficie de quelques centaines de pieds (mètres) carrés suffit pour s'entraîner à la marche à travers champs en s'orientant à l'aide d'une boussole.

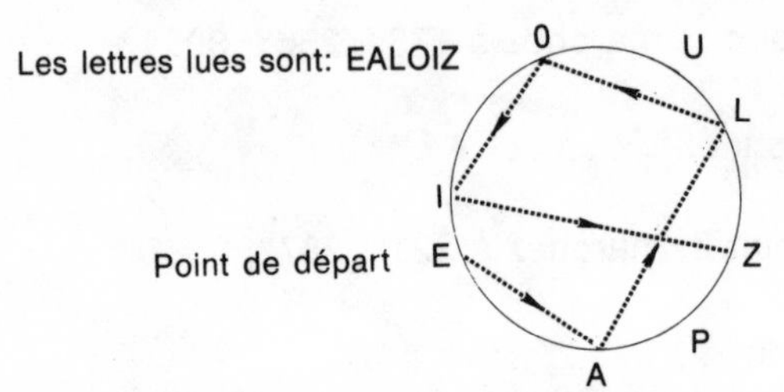

Si un joueur a la carte avec le point de départ E et les azimuts 125°, 26°, 292°, 222° et 106°, il écrira les lettres E, A, L, O, I, Z.

Le parcours de ce jeu sera tracé en région boisée en fixant à des arbres un certain nombre de pancartes-jalons: chaque pancarte portera un numéro, de même que l'orientation en degrés et la distance séparant le joueur du prochain jalon.

Le trajet sera déterminé par deux personnes travaillant de concert. Fixez à un arbre, à l'aide de punaises, la pancarte-jalon no 1 sur laquelle vous écrirez avec un crayon gras le chiffre de degrés dont vous aurez convenu. Puis, acheminez-vous dans cette direction tandis que votre assistant reste au jalon no 1. Vous mesurerez la distance en comptant vos enjambées jusqu'à ce que vous arriviez à un autre arbre qui sera votre deuxième jalon. En criant, vous ferez connaître la distance à votre assistant qui inscrira cette distance sur la pancarte no 1, puis vous rejoindra au jalon no 2. Entretemps, vous aurez fixé la pancarte no 2 au tronc d'arbre, de telle sorte qu'on ne puisse pas l'apercevoir en approchant, et vous y aurez inscrit une nouvelle direction.

Vous suivrez cette direction jusqu'à un autre arbre que vous choisirez comme jalon no 3, ainsi de suite jusqu'à ce que vous ayez fixé une douzaine de pancartes.

Les participants munis d'une boussole partiront à deux minutes d'intervalle. Celui qui aura effectué

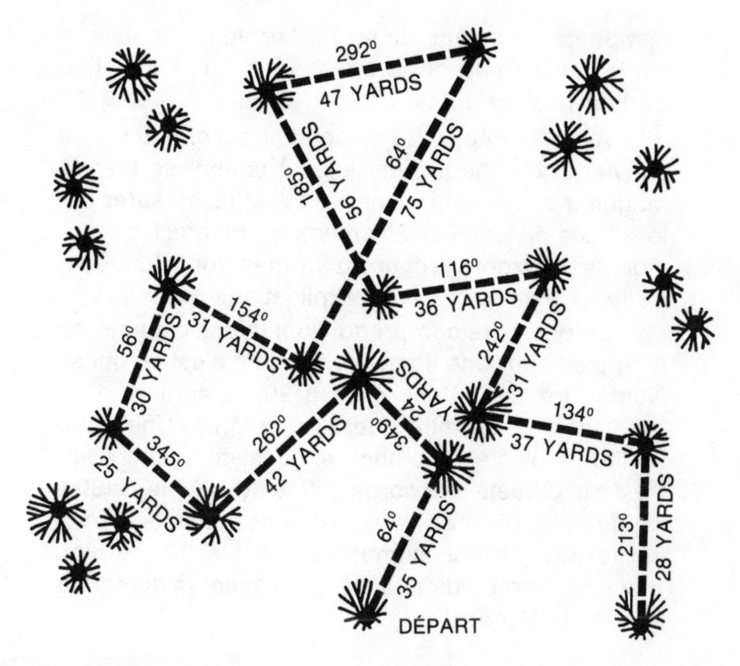

Un exemple typique de petit parcours d'orientation. Il pourra être tracé dans une cour d'école, dans un parc public ou sur l'emplacement d'un camp scout.

le parcours en un minimum de temps sera le vainqueur.

Concours d'orientation à la boussole

BUT: entraînement à l'orientation au moyen d'une boussole et à la mesure de distances en marchant. Ce genre de concours convient particulièrement aux terrains de jeux et aux emplacements de camps. Le parcours peut être tracé rapidement et peut rester en place. Bon nombre d'écoliers ou de campeurs pourront ainsi vérifier leur habileté à s'orienter à l'aide de la boussole sous la direction de leur professeur ou de leur chef.

Avant le départ de ce concours d'orientation, il convient que chaque participant connaisse bien la longueur de ses enjambées. A cet effet, mesurez sur le sol une distance de 200 pieds (61 m) que les participants pourront parcourir pour mesurer la longueur de leurs enjambées (voir explications page 53).

Le parcours comprend vingt jalons espacés de cinq pieds sur une ligne droite allant d'est en ouest. Numérotez ces jalons de 1 à 20, le numéro 1 se trouvant à l'extrémité ouest de la ligne. Une autre méthode, plus simple encore, consiste à tendre entre deux piquets une corde solide de 100 pieds (30,5 m) de long, d'est en ouest. Attachez ensuite à cette corde des cartons numérotés de 1 à 20, de cinq pieds en cinq pieds (1,5 m), en plaçant le numéro 1 à l'extrémité ouest.

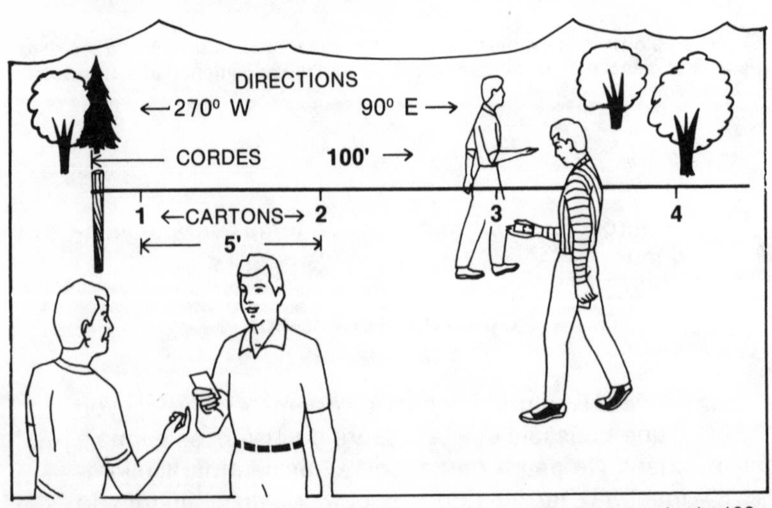

Pour organiser une course d'orientation simple, il suffit d'une corde de 100 pieds (30,5 m) à laquelle vous suspendez des cartons numérotés à tous les cinq pieds (1,5 m).

Chaque participant, muni de sa boussole, recevra avant le départ une carte d'instructions lui indiquant de quel numéro il devra partir et comment procéder. Ci-dessous, vous trouverez les instructions qui conviendraient pour les cartes de dix participants. Si votre groupe est plus nombreux, vous pourrez composer plusieurs groupes.

Commencez au no 1:

Parcourez 122 pieds à 36 degrés,
puis 58 pieds à 149 degrés,
puis 86 pieds à 235 degrés.
Destination atteinte: no ....

Commencez au no 2:

Parcourez 104 pieds à 17 degrés,
puis 52 pieds à 150 degrés,
puis 64 pieds à 142 degrés.
Destination atteinte: no ....

Commencez au no 3:

Parcourez 125 pieds à 38 degrés,
puis 90 pieds à 237 degrés,
puis 50 pieds à 186 degrés.
Destination atteinte: no ....

Commencez au no 4:

Parcourez 122 pieds à 36 degrés,
puis 50 pieds à 174 degrés,
puis 74 pieds à 228 degrés.
Destination atteinte: no ....

Commencez au no 5:

Parcourez 107 pieds à 22 degrés,
puis 54 pieds à 158 degrés,
puis 50 pieds à 186 degrés.
Destination atteinte: no ....

Commencez au no 6:

Parcourez 100 pieds à 3 degrés,
puis 74 pieds à 132 degrés,
puis 69 pieds à 225 degrés.
Destination atteinte: no ....

Commencez au no 7:

Parcourez 119 pieds à 34 degrés,
puis 50 pieds à 186 degrés,
puis 74 pieds à 228 degrés.
Destination atteinte: no ....

Commencez au no 8:

Parcourez 102 pieds à 346 degrés,
puis 78 pieds à 129 degrés,
puis 58 pieds à 211 degrés.
Destination atteinte: no ....

Commencez au no 9:

Parcourez 102 pieds à 346 degrés,
puis 78 pieds à 129 degrés,
puis 50 pieds à 186 degrés.
Destination atteinte no ....

Commencez au no 10:

Parcourez 104 pieds à 343 degrés,
puis 64 pieds à 141 degrés,
puis 61 pieds à 145 degrés.
Destination atteinte: no ....

Chaque participant se dirige vers la marque qui porte le numéro correspondant au point de départ de sa carte d'instructions et de là se met en route en suivant les instructions. Quand il aura terminé, il notera le numéro de la marque la plus proche de l'endroit où il est arrivé (tous les parcours se terminent à l'une des marques attachées à la corde), et il remettra ensuite sa carte au juge-arbitre. Les destinations correctes pour chacun des points de départ sont indiquées à la page 217.

Le joueur qui sera parvenu exactement à son point de destination marquera 100 points. Dans le cas contraire, le juge-arbitre déduira de son total de 100 points un point par erreur d'un pied ou 5 points par marque qui ne correspond pas à la marque correcte.

Faites effectuer trois parcours, avec différents points de départ, pour un total maximum de 300 points.

Marche d'orientation à la boussole

BUT: exercice consistant à s'avancer à travers champs en suivant avec précision une orientation déterminée.

Après de nombreux exercices d'orientation à la boussole, on peut proposer un trajet en ligne à vol d'oiseau, à l'aide de la boussole, sur une distance d'environ un demi-mille (800 m). Pour le tracé de ce trajet, tâchez de découvrir une route droite bordée de pieux de clôture. A défaut de ceux-ci, vous pourriez planter des piquets vous-mêmes. Fixez des marques numérotées de 1 à 10 sur dix de ces pieux espacés de 100 pieds (30,5 m) approximativement. Faites front à l'une de ces marques — no 4, par exemple — à angle droit avec les pieux alignés, li-

Avant le départ de cette marche à l'aide de la boussole, enfoncez des bâtons au bord de la route ou bien utilisez les pieux d'une clôture, placés à intervalles réguliers.

sez l'orientation de la direction à laquelle vous faites face et acheminez-vous dans ce sens aussi attentivement que possible sur une distance d'un demi-mille (800 m) ou pendant 15 minutes environ.

A cet endroit, placez une marque. Ce sera votre point de départ. Ajoutez alors 180° à votre direction si elle indique moins de 180°, ou soustrayez-en 180 si elle est supérieure à 180°. Ce sera votre orientation de retour, c'est-à-dire la direction depuis le point de départ où vous vous trouvez jusqu'au pieu d'où vous êtes parti, donc l'orientation que les participants devront suivre pour atteindre le lieu de retour correct.

On indiquera à chaque joueur l'orientation qu'il doit suivre et, muni de sa boussole, il se mettra en route. Pour un parcours d'un demi-mille (800 m), il convient d'admettre une marge d'erreur de 100 pieds (30,5 m), ce qui signifie qu'un participant qui atteindra la route entre les pieux 3 et 5 — alors qu'il était censé aboutir à la marque 4 — totalisera néanmoins 100 points.

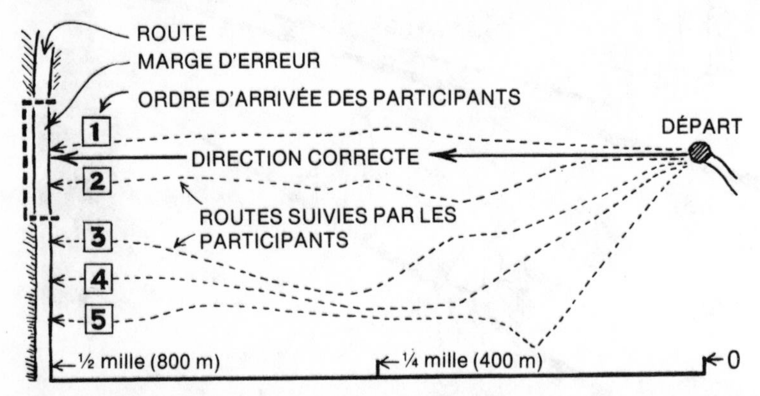

Pour tracer ce trajet de marche à l'aide de la boussole, partez d'une marge d'erreur, marchez sur une distance d'un demi-mille (800 m) pour indiquer le point de départ. Les participants partiront du point de départ et devront revenir à l'intérieur de la marge d'erreur.

A vol d'oiseau

Lorsque vous aurez appris à vous servir de la boussole avec précision sur de courtes distances, vous serez prêt à vous élancer à travers champs en vous orientant à la boussole, c'est-à-dire à faire une "marche à vol d'oiseau".

Choisissez d'abord un endroit qui vous est familier — un parc, votre chalet ou quelque région à la campagne que vous connaissez bien. Décidez-vous quant à l'orientation en degrés que vous comptez suivre et estimez à environ une demi-heure votre parcours à l'aller (ce qui correspond à environ un mille ou 1,60 km). Calculez la même durée et la même distance pour le retour. Une fois arrivé à votre point de départ, réglez la boussole au degré que vous avez choisi, puis déterminez la première étape de votre marche selon la méthode qui vous est maintenant familière.

Tenez la boussole sur un plan horizontal, la flèche de direction pointée devant vous. Pivotez sur vous-même jusqu'à ce que l'aiguille aimantée repose exactement sur la flèche d'orientation à l'intérieur du boîtier, l'extrémité nord braquée vers N. Redressez-vous, regardez droit devant vous et choisissez un point de repère bien en ligne avec votre visée. Acheminez-vous directement vers votre point de repère sans regarder votre boussole.

Lorsque vous aurez atteint votre point de repère et que vous aurez donc parcouru votre première étape, faites de nouveau usage de la boussole. Visez dans la direction que vous suivez afin de trouver un autre point de repère.

En fin de compte, vous aurez parcouru la distance prévue, pendant le laps de temps convenu — une demi-heure — et vous serez prêt à revenir à votre point de départ. Vous vous retournez et vous repartez donc dans le sens du retour selon la méthode décrite.

Tenez la boussole horizontalement, comme d'habitude, mais au lieu de pointer la flèche de direction vers l'avant, vous la braquez en sens inverse, c'est-à-dire vers vous. Pivotez pour orienter la boussole de sorte que l'extrémité nord de l'aiguille soit dirigée vers N. Regardez droit devant vous et choisissez le premier point de repère de votre trajet de retour, et ainsi de suite.

Après une demi-heure de marche, vous devriez vous retrouver exactement à votre point de départ ou tout au moins assez près pour en reconnaître la topographie.

Vaincre les obstacles

Lors d'une randonnée à travers champs, parfois un obstacle barrera votre parcours — un lac, un marécage, un bâtiment, etc. Certes, vous ne pourrez pas le traverser ou le sur-

Si vous rencontrez un obstacle découvert, un lac par exemple, choisissez un point de repère de l'autre côté de cet obstacle et dirigez-vous vers ce point en contournant l'obstacle.

monter mais il vous sera possible de le contourner.

Si *vous pouvez voir de l'autre côté de l'obstacle,* la solution est relativement simple. En pareil cas, vous repérez un grand arbre ou une construction vers lesquels vous vous dirigez en contournant l'obstacle, et de ce point vous vous orientez vers votre repère suivant.

Avant de vous remettre en route, il est bon de vous assurer de votre direction en faisant une *lecture d'orientation arrière,* c'est-à-dire en vous retournant vers l'endroit d'où vous venez. Ce point doit se trouver exactement derrière vous, à 180 degrés, soit la moitié de la circonférence. Certes, il vous serait possible de régler votre boussole en ajoutant 180 degrés à votre direction, si celle-ci est inférieure à 180 degrés, ou en soustrayant 180 degrés si elle est supérieure à 180 degrés, mais plutôt que de rechercher des complications, faites usage de la ligne de direction marquée sur la plaque de base de votre boussole.

Une fois l'obstacle contourné, faites une lecture d'orientation arrière, c'est-à-dire en direction du lieu d'où vous êtes parti, ceci afin de vous assurer de l'exactitude de votre parcours.

Ne changez d'aucune manière le réglage de la boussole. Tenez tout simplement votre boussole en sens inverse, la flèche de direction pointée *vers vous* et non devant vous. Orientez la boussole comme d'habitude, l'extrémité nord de l'aiguille pointée vers N, puis visez en direction *opposée* à celle qu'indique la flèche. Redressez-vous; en regardant droit devant vous, vous devriez voir aussitôt votre point de départ.

S'il ne vous est pas possible de voir de l'autre côté de l'obstacle, vous pourrez le contourner à angles droits. Vous tournez à angle droit de votre direction de cheminement et, en comptant vos pas, vous avancez jusqu'à ce que vous soyez bien certain d'avoir dépassé l'obstacle en ce sens. Puis, vous pivotez de nouveau à angle droit et suivez votre direction première aussi loin qu'il le faudra pour dépasser l'obstacle. Alors, vous vous tournez encore une fois à angle droit en direction de votre ligne de visée de départ vers laquelle vous vous dirigez en comptant autant de pas que vous en avez faits lors de

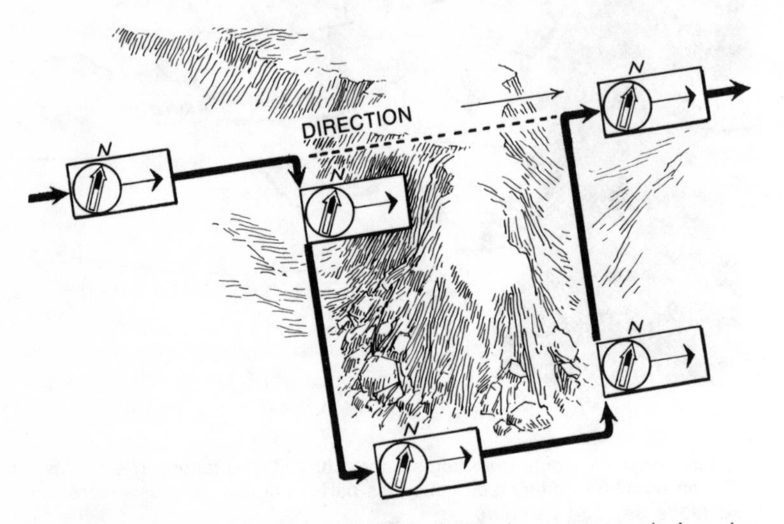

Si vous ne pouvez voir de l'autre côté de l'obstacle, contournez-le à angles droits en utilisant pour votre visée le bord arrière de votre plaque de base.

votre premier changement de direction. Vous voilà maintenant revenu à votre première ligne de visée. Encore un quart de tour à angle droit et vous pourrez reprendre votre direction première.

Certes, il vous est loisible d'effectuer ces rotations à angles droits en réglant votre boussole, c'est-à-dire en ajoutant au chiffre de réglage de votre boussole 90 degrés pour chaque rotation à droite, ou en soustrayant 90 degrés pour chaque rotation à gauche. Mais pourquoi opérer d'une manière aussi compliquée, puisque vous arriverez au même résultat sans avoir à faire des réglages successifs. En effet, il vous suffira de vous servir des angles droits de votre plaque de base rectangulaire.

Supposons que devant vous se dresse un obstacle et que vous ayez décidé de *le contourner par la droite.*

Lorsque vous tournez à droite, à angle droit, tenez votre boussole, le côté longitudinal de la base rectangulaire en travers, la flèche de direction pointant vers la gauche, et orientez votre boussole comme de coutume. Vous utilisez le bord arrière de votre plaque de base pour faire votre visée, du coin gauche au coin droit, vers un point de repère bien apparent et vers lequel vous vous dirigerez en comptant vos enjambées et en vous assurant que ce point se trouve au-delà de l'obstacle dans ce sens. Lorsque vous tournez à gauche (votre deuxième rotation), tenez la boussole comme d'habitude, la flèche de direction braquée droit devant vous. Vous vous retrouvez à votre orientation de départ. Il ne vous reste qu'à marcher dans cette direction, assez loin pour dépasser l'obstacle. A votre troisième rotation, encore une fois à gauche, tenez la boussole, le côté longitudinal de la base en travers, mais la flèche de direction pointée *vers votre droite.* Vous orientez votre boussole et vous visez en direction d'un point de repère le long du bord arrière de la base, mais cette fois du coin droit vers le coin gauche, et vous vous acheminez dans cette nouvelle direction en comptant autant d'enjambées que vous en avez faites lors de votre premier changement de direction.

A votre dernier quart de tour (à droite), vous orientez la boussole de sorte que la flèche de direction soit pointée droit devant vous. Ainsi, vous aurez surmonté vos difficultés en contournant l'obstacle et vous n'avez plus qu'à poursuivre votre parcours vers votre objectif final.

Si au lieu de prendre à droite de l'obstacle, il avait été plus commode *de le contourner par la gauche,* vous auriez dû faire l'inverse, c'est-à-dire tenir la base de la boussole de telle manière que la flèche de direction soit braquée vers la droite et, lors de votre troisième quart de tour, vers la gauche.

Chasse et pêche

L'emploi de la boussole pour explorer une région est déjà en soi une expérience exaltante. Mais, si vous êtes pêcheur ou chasseur, vous pourrez l'utiliser de maintes autres manières.

Découvrir un endroit idéal pour la pêche

Supposons que vous soyez un pêcheur à la recherche d'un lac ou d'une rivière où abonde la truite. D'autres pêcheurs vous ayant vanté Silver Lake, vous avez grande envie d'y aller et d'y lancer votre ligne. D'après vos amis, Silver Lake s'étend au sud-ouest de la gare de Blackton. Cependant, pour s'y rendre, il n'y a pas de route reliant Blackton au lac. Il vous faudra donc y aller boussole en main, à travers bois et champs.

Vous vous mettez en route par une belle matinée ensoleillée. Vous arrivez à la gare de Blackton. De là au lac, avec votre boussole, il n'y aura pas de problème.

Vous savez déjà qu'il faudra vous diriger vers le sud-ouest, soit 225 degrés. Vous commencez donc par régler votre boussole à 225 degrés, en mettant ce chiffre en regard de la ligne de direction à la base du boîtier. Vous orientez votre boussole, la flèche de direction pointée devant vous, et vous visez. C'est dans cette direction que se trouve le lac.

Vous vous y acheminez sans difficulté et, arrivé sur place, vous vous apercevez que sa réputation n'est pas surfaite car votre pêche est exceptionnelle.

Lorsque vous en aurez assez de pêcher, vous songerez au retour. Rien de plus simple. Vous n'avez qu'à revenir sur vos pas, en suivant les directives décrites à la page 81 , c'est-à-dire en visant par-dessus la boussole, mais bien entendu, la flèche de direction pointée vers vous et non devant vous.

Retrouver un lieu de pêche qui vous a plu

Vous avez été pleinement satisfait du résultat de votre pêche sur les rivages de Silver Lake, mais vous vous êtes laissé dire que les grosses prises se font en plein lac. C'est pourquoi, un beau jour, vous louez un bateau pour tenter votre chance. Vous essayez plusieurs lancers et soudain vous ferrez une prise de dimension. Vous jetez l'ancre à cet endroit du lac. Il se pourrait que ce premier gros poisson ne soit qu'un coup de

Lorsque vous aurez trouvé, au milieu d'un lac, un emplacement de pêche exceptionnel, prenez note des relèvements croisés vers deux points de repère. Ils vous serviront pour retrouver ce même endroit la prochaine fois.

hasard, mais après plusieurs autres lancers vous attrapez quelques belles pièces. Cette fois, il n'y a plus de doute, c'est un endroit épatant.

Sans aucun doute, c'est un emplacement qu'il ne faut pas perdre de vue car il vaut la peine que vous y reveniez un jour ou l'autre, mais il se trouve au beau milieu d'un lac assez grand. Comment le retrouver la prochaine fois? Est-ce si difficile? Avec votre boussole, il vous suffira d'annoter vos relevés d'orientation croisés et d'avoir recours à vos notes lors de votre prochaine visite à ce lac.

Pour prendre des relèvements croisés ou simultanés, vous choisissez deux points de repère bien en vue et permanents. Quoi, par exemple? Cette grande maison blanche, là-bas, est bien visible, mais sera-t-elle toujours là telle que vous la voyez? Il se pourrait que lorsque vous reviendrez elle soit peinte en rouge. Et ce beau grand arbre? Il se pourrait qu'on l'abatte. Et cette falaise au bord du lac? Ah! Voilà qui fera l'affaire! Et le quai d'embarquement où vous avez loué le bateau? Bien sûr!

Commençons par le relèvement de l'escarpement: pointez la flèche de la ligne de direction vers l'escarpement et faites tourner votre boîtier jusqu'à ce que votre boussole soit orientée, l'extrémité nord de l'aiguille braquée vers N.

Vous lisez le chiffre de degrés à la base de l'habitacle, à l'endroit d'où part la ligne de direction. Quel est ce chiffre? 113 degrés.

Ensuite vous dirigez la flèche de direction vers le quai d'embarquement. Vous orientez la boussole et vous lisez 32° vers le quai d'embarquement.

Annotez dans votre carnet: "Emplacement de pêche exceptionnel, Silver Lake, à l'escarpement, 113°, au quai d'embarquement, 32°.

Lors de votre prochaine partie de pêche, vous louez un bateau, vous prenez votre carnet et vous consultez vos notes:

L'orientation de votre emplacement de pêche, au quai d'embarquement était de 32°. Il est donc évident que l'orientation en sens inverse sera d'un demi-cercle en direction opposée. Vous ajoutez donc 180° à 32°, ce qui vous donne 212°. (Si votre premier chiffre avait été supérieur à 180°, vous auriez dû soustraire 180°).

Vous réglez votre boussole en tournant le boîtier jusqu'à ce que la base de la ligne de direction soit bien en face de 212° sur le bord du boîtier. Vous braquez la flèche de direction vers l'avant au-dessus de la proue de votre bateau et vous demandez à votre ami, qui a les avirons en mains, de manoeuvrer le bateau doucement jusqu'à ce que l'aiguille aimantée soit pointée vers N du boîtier. Vous redressez la tête, vous cherchez un point de repère sur le rivage en face, disons un rocher. Votre ami n'aura plus qu'à ramer directement vers ce point.

Maintenant, réglez votre boussole sur 113°, votre lecture vers l'escarpement. Vous orientez la boussole, l'extrémité nord de l'aiguille sur N, tandis que vous visez par-dessus la flèche de direction et que votre ami continue à ramer.

Vous y êtes presque. La flèche se trouve à peu près en regard de l'escarpement. Encore un peu plus loin. Ah, voilà!

Vous y êtes. Vous jetez l'ancre. Vous lancez votre ligne et peu de temps après, le poisson mord.

Aller chasser dans une direction déterminée

Peut-être que vous préférez la chasse à la pêche. Ici aussi la boussole vous viendra en aide.

Supposons que vous désiriez aller dans une direction nord-ouest de votre champ de chasse, car l'année passée il y avait de ce côté du chevreuil en abondance.

Vous réglez votre boussole au nord-ouest à partir de votre camp, c'est-à-dire 315 degrés, en tournant votre boîtier jusqu'à ce que la ligne de direction de votre base touche la marque 315. Vous tenez la boussole, la flèche de direction pointée devant vous, et vous orientez la boussole, l'extrémité nord de l'aiguille dirigée vers le N du boîtier. La flèche de direction vous indiquera votre chemin. Tout en avançant, vérifiez de temps en temps votre direction générale à la boussole pour être bien certain de ne pas vous en écarter.

Lorsque vous aurez parcouru assez de terrain pour cette journée et que vous aurez pris la décision de rentrer au camp, vérifiez de nouveau votre direction, mais cette fois, sans changer le réglage, vous tiendrez votre boussole la flèche de direction en sens inverse, c'est-à-dire braquée vers vous, et vous reviendrez sur vos pas comme nous vous l'avons expliqué.

Retrouver le superbe chevreuil que vous avez tiré

Il se peut qu'un beau jour vous ayez vraiment de la chance: vous tirez ce magnifique chevreuil dont vous aviez maintes fois rêvé! Même après avoir vidé le bel animal, votre émotion reste vive. Mais comment faire pour le ramener au camp. Tout le problème est là, car il est beaucoup trop lourd pour que vous puissiez le faire seul. Vous avez besoin d'aide, mais retrouver par la suite la dépouille du chevreuil ne serait pas plus facile que de trouver une aiguille dans une botte de foin s'il n'y avait pas votre boussole.

Vous dressez un plan: vous avez une bonne idée de la configuration du terrain et vous n'ignorez pas qu'à un demi-mille environ, au sud-est, il y a une route qui conduit au pavillon de chasse où vous n'auriez aucune peine à trouver de l'aide.

Vous repérez l'endroit où gît votre chevreuil d'une marque visible de loin, par exemple, un mouchoir blanc attaché à un arbre à proximité. Puis, vous réglez votre boussole au sud-est (315°) et vous vous mettez en route en suivant avec précision la direction indiquée par votre flèche. Vous choisissez des points de repère sur votre trajet et vous vous acheminez de point de repère en point de repère, en comptant vos doubles-enjambées pendant votre progression pour vous assurer de la distance.

Vous arrivez à la route: il vous a fallu 512 doubles-enjambées. Vous indiquez l'emplacement bien distinctement

Vous venez de tuer votre chevreuil. Il s'agit à présent d'aller chercher de l'aide pour le ramener. Vous vous dirigez à la boussole vers la route la plus proche, puis vous reviendrez sur vos pas avec le même réglage, mais inversé.

au moyen de grosses branches mortes, d'une bûche ou d'un tas de pierres facilement reconnaissables et vous poursuivez votre route jusqu'au pavillon de chasse. Vous rassemblez vos aides (peut-être aurez-vous pu vous procurer un cheval de bât ou une jeep ou quelque autre moyen de transport) et vous remontez la route jusqu'à l'endroit que vous avez marqué de signes très apparents.

A présent, ce n'est plus qu'une question de parcours en sens inverse. Votre boussole est déjà réglée, puisque vous n'y avez pas touché. Donc, il ne vous reste qu'à suivre la même direction, mais en sens inverse, c'est-à-dire en visant dans la direction opposée à celle qu'indique la flèche. En choisissant vos points de repère, vous avancez en comptant vos doubles-enjambées. 512. Où est le chevreuil? Ma foi, vous ne vous attendiez pas à tomber nez à nez avec votre butin, mais il ne devrait pas être bien loin. Faites une marque à l'endroit où vous êtes arrivé, puis tournez en spirale autour de ce point et vous aurez vite fait de retrouver le mouchoir blanc attaché à l'arbre. Et voilà votre chevreuil!

Carte et boussole conjointement

Maintenant que vous savez quelles fonctions remplissent séparément une carte et une boussole, vous aurez hâte de les employer conjointement en vous adonnant au sport enivrant de l'orientation ou l'art de parcourir une région en se guidant dans sa marche au moyen d'une carte et d'une boussole.

Vos randonnées en pleine campagne vous procureront un plaisir plus intense, car vous pourrez vous écarter des sentiers battus. Vous marcherez gaiement à travers champs, loin des chemins que vous ne connaissez que trop bien. Vous verrez des choses nouvelles, vous éprouverez des sensations neuves, palpitantes ou parfois l'attrait de l'incertitude: "Suis-je sur la bonne piste?... Est-ce que je parviendrai à l'extrémité du lac?... Comment passer par là?... Faudra-t-il que je modifie mon itinéraire?... Est-ce bien là, devant moi, le but que je dois atteindre?..."

Au début, peut-être désirerez-vous vous orienter par vos propres moyens, mais vos plus grandes satisfactions naîtront lorsque vous vous joindrez à d'autres "mordus" de la boussole.

PREMIER ESSAI D'ORIENTATION

Avant de vous mettre en route pour effectuer une première tentative d'orientation sur le terrain, voyons d'abord de quoi il s'agit en faisant, à la maison, une excursion sur la carte-modèle à la fin de cet ouvrage. Traçons-y un itinéraire.

Supposons que vous désiriez fixer votre lieu de départ au croisement ¼ de pouce au sud-est de la lettre **l** de Log Chape**l** ou en notre "sténo" appliquée aux lectures de carte: ¼" SE **l** de Log Chapel. Un petit parcours qui conviendrait pourrait comprendre la route en T au nord de Meadow Knoll Cemetery, la ferme à l'ouest de Niger Marsh, le croisement au nord de Log Chapel, et puis de retour à votre point de départ (voir carte, page112).

Régler votre boussole

Votre première opération consiste à régler votre boussole pour la première étape de votre parcours — depuis le croisement au sud-est de Log Chapel jusqu'à la route en T, 1 3/8 pouce au nord-ouest du **H** de Hutton **H**ill.

Vous avez probablement déjà fait l'acquisition d'une boussole; c'est le moment de l'utiliser! Puisque l'aiguille aimantée ne joue aucun rôle lorsque vous dressez un plan de randonnée sur la carte, vous pouvez aussi vous tirer d'affaire en employant une boussole d'entraînement sans aiguille. Vous vous servirez de l'habitacle de la boussole avec sa graduation en degrés et aussi de la plaque de base faisant office de rapporteur pour faire coïncider la direction sur carte avec celle de la boussole.

Posez la boussole sur la carte-modèle de telle manière qu'un côté de la base relie votre point de départ au croisement à votre premier lieu de destination, la route en T, en veillant à ce que la flèche de direction de la base soit pointée dans la direction que vous comptez suivre.

Ensuite, faites pivoter l'habitacle jusqu'à ce que la flèche d'orientation à l'intérieur de celui-ci se trouve parallèle au méridien le plus proche, l'extrémité nord braquée vers le nord.

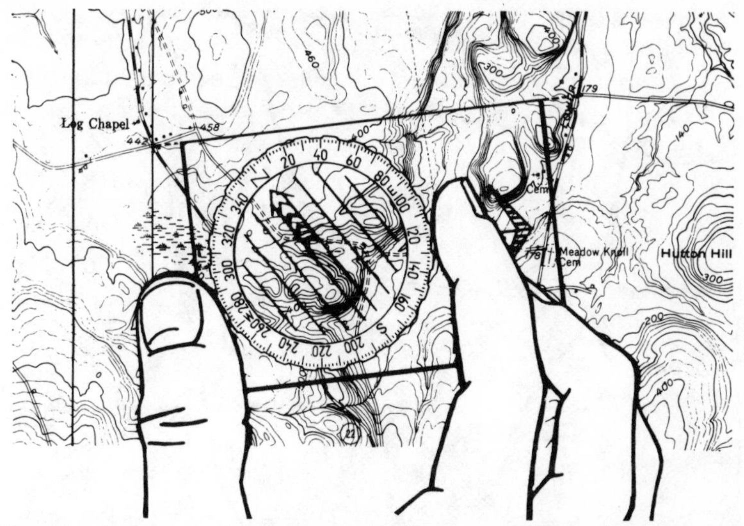

Première étape pour régler votre boussole: posez la plaque de base sur la carte de telle sorte que l'un des côtés relie votre point de départ et votre lieu de destination.

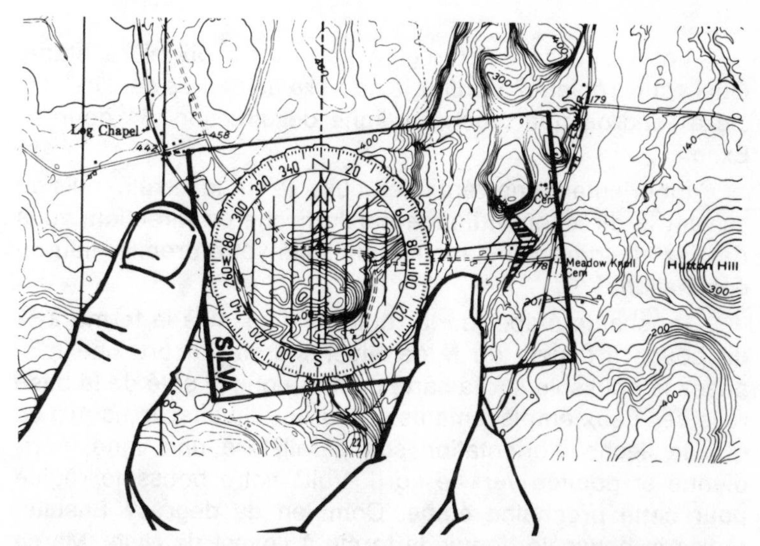

Deuxième étape pour régler votre boussole: tournez l'habitacle jusqu'à ce que la flèche d'orientation soit parallèle au méridien le plus proche.

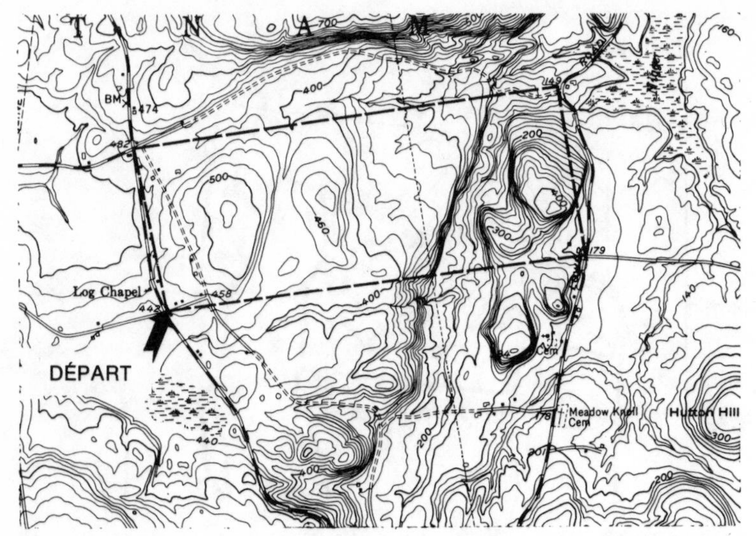

Consultez la carte de la page 222 et localisez la région que traverse l'itinéraire ci-dessus, décrit aux pages 109 et 113.

Votre boussole est réglée pour votre première étape. Quel est le réglage? Vérifiez le nombre de degrés sur l'habitacle à l'endroit que touche la ligne de direction. 84 degrés? Exact!

En orientant une véritable boussole sur le terrain, puis en suivant la direction indiquée par la flèche de direction, vous devriez atteindre sans aucune difficulté votre premier lieu de destination.

Prochaine étape: de la route en T jusqu'à la ferme à ¾ de pouce à l'ouest du **N** de **N**iger Marsh. Encore une fois, posez la boussole sur la carte de sorte que le côté de la base relie ces deux emplacements et tournez l'habitacle jusqu'à ce que la flèche d'orientation soit parallèle à une ligne méridienne et pointée vers le nord. Voilà votre boussole réglée pour cette prochaine étape. Combien de degrés? Ensuite, réglez la boussole depuis la ferme à l'ouest de Niger Marsh jusqu'au croisement à 1⅛ pouce au nord du **l** de Log Chapel et finalement, à partir de ce croisement jusqu'à votre point de départ initial.

Les distances

Vous avez donc les réglages de boussole que vous utiliserez en cours de route, mais il y a autre chose qui doit retenir votre attention: les distances.

Reprenez votre itinéraire et faites le calcul des distances à vol d'oiseau entre les différents points. A cet effet, faites usage de la règle graduée qui figure sur le côté de la plaque de base de votre boussole. La carte est à l'échelle 1: 24 000. Chaque pouce représente donc 2 000 pieds. En mesurant vos distances, vous obtiendrez les résultats suivants:

Du croisement à la route en T,	
N Meadow Knoll Cemetery:	7 100 pieds
De la route en T à la ferme, W Niger Marsh:	2 700 pieds
De la ferme au croisement, N Log Chapel:	7 300 pieds
Du croisement au point de départ:	2 700 pieds
Distance totale:	19 800 pieds

Soit une distance de 3¾ milles que vous devriez couvrir en deux heures environ, sans trop de difficultés, à moins que vous ne rencontriez des obstacles imprévus.

EXERCICES AVEC CARTE ET BOUSSOLE

Employez votre boussole et la carte-modèle jusqu'à ce que vous fassiez vos réglages de boussole presque automatiquement.

Le règlage de la boussole

BUT: vous familiariser avec la boussole et apprendre à faire des réglages pour différentes directions sur la carte.

Utilisez la carte modèle et votre boussole. Cherchez le croisement ¼ de pouce au sud-est de la lettre **l** de Log Chape**l**. C'est votre point de départ. Il s'agit de déterminer en degrés les orientations vers les emplacements suivants:*

1. Du point de départ au poste 1, à l'église, ⅝ de pouce au Nord-Nord-Ouest du **M** de **M**eadow Knoll Cemetery............° (222)

2. Du poste 1 au poste 2, situé sur la route en T, 11/16 de pouce à l'Ouest du **N** de **N**iger Marsh............° (222)

3. Du poste 2 au poste 3, à la ferme, 1½ pouce au Nord-Ouest du **H** de **H**uckleberry M............° (222)

4. Du poste 3 au poste 4, grange, ⅜ de pouce au Nord-Ouest du **B** de Charter **B**rook............° (222)

5. Du poste 4 au but final, route en T, ¼ de pouce au Nord du **k** de Suc**k**er Brook............° (223)

Pour un groupe, chaque participant reçoit un exemplaire de la carte-modèle, une boussole, un crayon et une copie de la liste ci-dessus. Au signal donné, les participants déterminent les orientations en degrés. Le gagnant est celui qui aura remis le plus grand nombre de réponses exactes dans le délai le plus bref. (Réponses, page 217).

Que trouvez-vous?

BUT: s'exercer à mesurer correctement les distances et à déterminer les orientations sur la carte, calculées en degrés.

En faisant usage de la carte et de la boussole, déterminez les caractéristiques du paysage que vous trouverez aux endroits suivants:*

---

* Le chiffre entre parenthèses indique à quelle carte vous référer (page).

1. Distance: 2 400 pieds
Direction: 298° du H de **H**utton Hill............ (222)

2. Distance: 4 000 pieds
Direction: 182° du R de **R**ecord Hill............ (223)

3. Distance: 1 000 pieds
Direction: 68° du s de Anthony**s** Nose............ (223)

4. Distance: 2 100 pieds
Direction: 174° du u de P**u**tnam............ (223)

5. Distance: 2 200 pieds
Direction: 24° du r de Sucke**r** Brook............ (223)

(Réponses, page 218).

Pour un groupe, chaque participant est muni d'une carte-modèle, d'une boussole d'entraînement, de papier, d'un crayon et d'une copie de la liste ci-dessus. Les joueurs ont dix minutes pour répondre aux questions. Chaque réponse exacte vaut 20 points.

LA DÉCLINAISON

Pour votre première randonnée en vous orientant vous-même, considérons que la carte-modèle est, en fait, la carte de la région que vous désirez parcourir et que l'itinéraire suivi précédemment est celui que vous désirez suivre.

Nord géographique et nord magnétique

Vous arrivez à votre point de départ au croisement au sud de Log Chapel. Vous dépliez votre carte, vous faites en

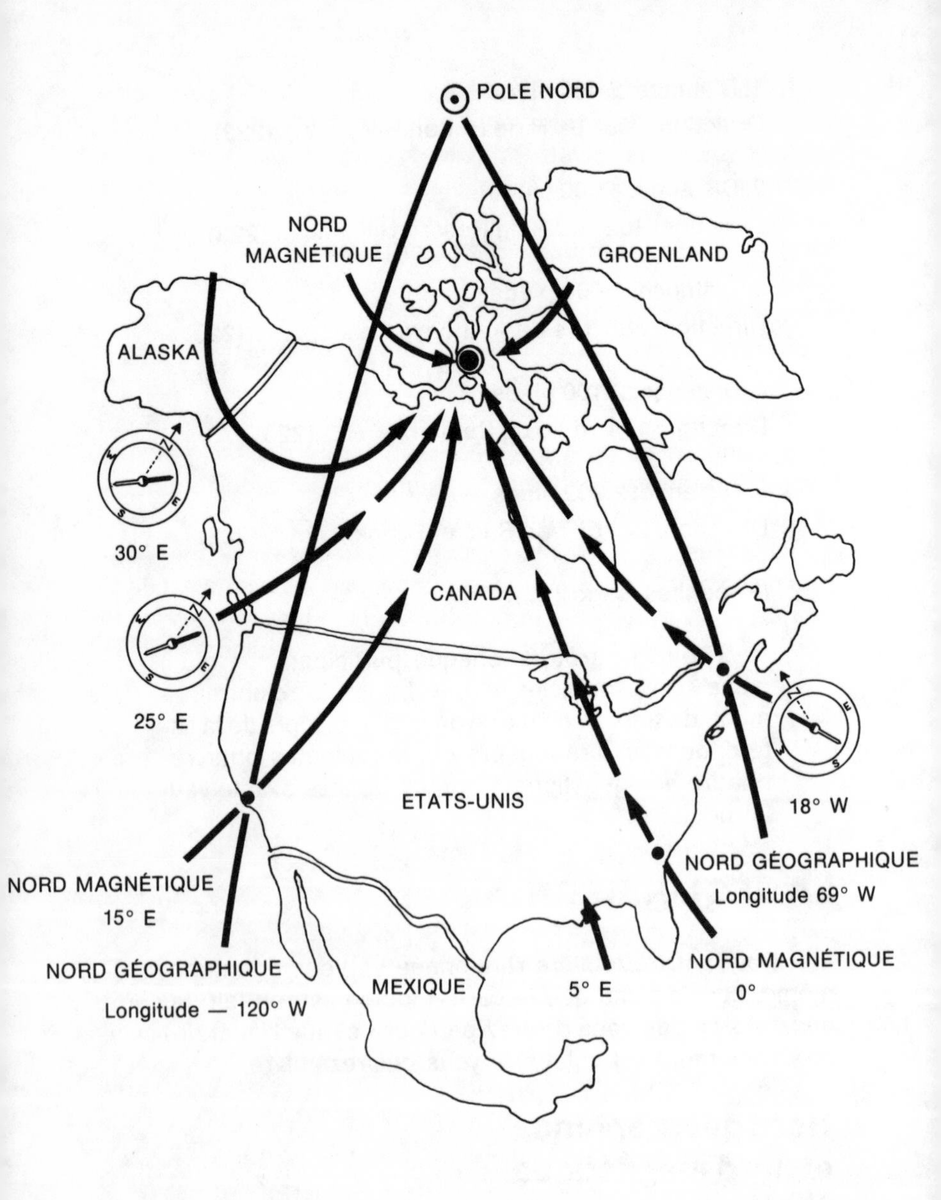

Nord géographique et nord magnétique.

sorte que le côté de la plaque de base soit en ligne avec votre point de départ et la route en T au nord de Meadow Knoll Cemetery, vous faites pivoter l'habitacle de la boussole afin que la flèche d'orientation soit parallèle à un des méridiens de la carte. Vous êtes prêt à partir, vous tenez la boussole, la flèche de direction braquée directement devant vous, l'extrémité nord de l'aiguille de la boussole pointée vers le nord de l'habitacle. Vous mettez en ligne le point de repère devant vous. Vous voilà paré à vous mettre en route.

L'êtes-vous vraiment?

Vous seriez effectivement orienté vers le nord, si celui-ci était identique au nord magnétique de votre boussole et si la géologie de notre continent n'influençait pas l'aiguille aimantée. Malheureusement, ce n'est pas le cas.

Il en résulte que le nord géographique et le nord magnétique ne coïncident que sur une ligne qui part de la côte est de la Floride et se dirige vers le nord par le lac Michigan et vers le nord magnétique situé au nord de la Baie d'Hudson.

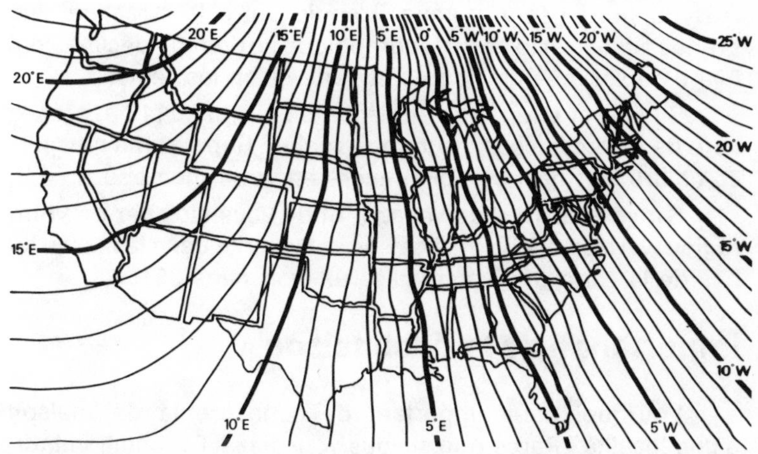

Carte de déclinaison des Etats-Unis (1960). Le nord magnétique et le nord géographique coïncident sur la ligne qui passe à l'est de la Floride et par le Lac Michigan. Tous les autres lieux, non situés sur cette ligne, ont une déclinaison est ou ouest.

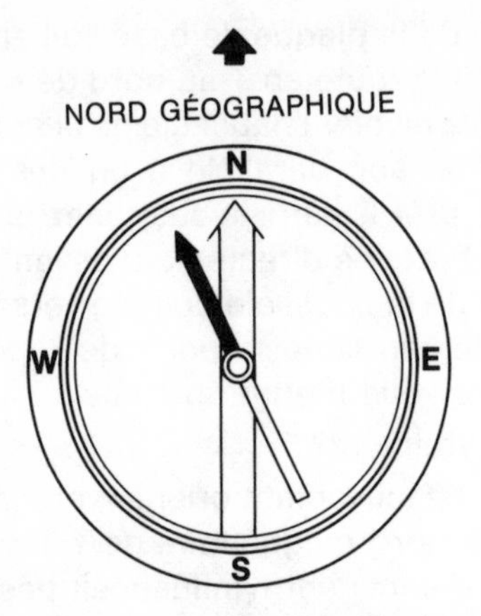

La force magnétique de la terre fait dévier l'aiguille aimantée du nord géographique. L'angle que forment les deux directions se nomme déclinaison.

Pour n'importe quel lieu situé entre cette ligne zéro et l'Atlantique, l'aiguille de la boussole est attirée à l'ouest du nord géographique. Pour n'importe quel emplacement situé entre la ligne zéro et le Pacifique, l'aiguille aimantée pointera à l'est du nord géographique. L'angle entre la direction que prend l'aiguille et le nord géographique se nomme déclinaison. Elle est exprimée en degrés et varie selon les régions.

Situez votre territoire sur la carte de la page 116 et prenez note de la déclinaison pour votre région. Répétez maintes fois ce chiffre afin qu'il soit bien ancré en votre mémoire.

S'il vous arrivait de voyager et de vous éloigner de votre région, vérifiez quelle déclinaison est inscrite dans la marge au bas de la carte que vous utiliserez (voir page 35).

Importance de la déclinaison

Pourquoi est-il important de connaître la déclinaison d'une localité? Parce que si vous vous fiez à l'orientation indiquée par l'aiguille aimantée sans tenir compte de la déclinaison, vous vous éloignerez de la direction que vous vouliez suivre.

Prenons comme exemple un emplacement où la déclinaison se chiffre à 15° W. Vous réglez votre boussole et vous suivez la direction indiquée par votre flèche de direction. Votre voie sera deviée de 15 degrés. Après avoir parcouru une distance de 3 000 pieds (915 m), vous aurez dévié de votre route de *50 pieds (15 m) par degré de déclinaison,* soit dans le cas qui nous occupe, où la déclinaison est de 15°, 15 fois 50 pieds (15 m), ou 750 pieds (225 m).

Si vous continuez, *vous aurez dévié d'un quart de mille (0,40 km) après un parcours de 1 mille (1,60 km).* Il est certain que vous ne trouverez pas votre destination!

Par chance, il existe une boussole sur laquelle on peut régler la déclinaison en permanence. Ceci peut être fait de deux façons: changez le réglage de votre déclinaison dès que vous utilisez une carte où la déclinaison est différente, ou encore, ce qui est plus facile, tracez sur votre carte les lignes du Nord magnétique (déclinaison calculée) avec un crayon à mine. Vous n'avez à les changer qu'une fois par année.

Réglage de votre boussole

S'il s'agit d'une déclinaison Ouest, posez votre boussole sur la carte comme de coutume. Voyez quel est votre réglage en degrés à l'endroit où l'habitacle de votre boussole touche la ligne de direction. Au nombre de degrés que vous y lisez, *ajoutez* le nombre de degrés de votre déclinaison ouest, puis faites pivoter l'habitacle de votre boussole jusqu'à ce que la ligne de direction soit en regard du nouveau nombre de degrés. La boussole est maintenant réglée pour votre carte et votre déclinaison. Tenez la boussole devant vous, orientez-la, l'extrémité nord de l'aiguille aimantée pointée vers le N du boîtier et acheminez-vous dans la direction indiquée par la flèche de direction.

Prenons un exemple: supposons que vous habitiez à un endroit de l'Etat de New York où la déclinaison est de 9° Ouest. Vous réglez votre boussole sur la carte et votre réglage vous donne 282°.

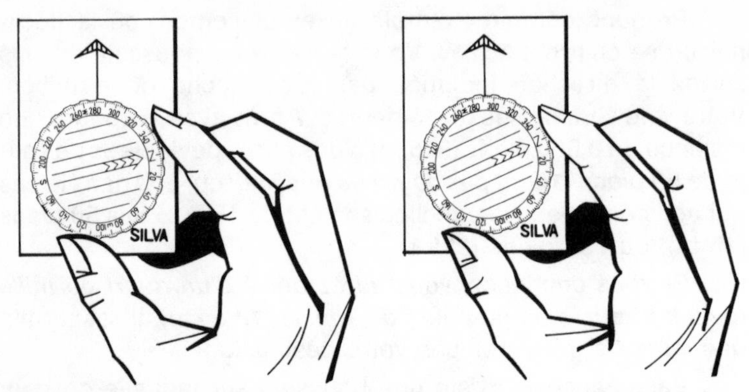

Pour corriger une déclinaison Ouest , vérifiez le nombre de degrés à la base de la ligne de direction, ajoutez la déclinaison et réglez la boussole sur le nouveau nombre de degrés.

Vous ajoutez 9° à 282°, ce qui fait 291°. Vous réglez votre boussole sur ce nouveau chiffre en faisant tourner l'habitacle jusqu'à ce que la ligne de direction soit en regard de 291° sur le bord de l'habitacle. Et vous voilà prêt à vous mettre en route. Résumons l'opération: s'il s'agit d'une déclinaison *OUEST,* vous *ajoutez* à votre réglage le nombre de degrés de déclinaison. Cependant, vous pourriez tout aussi bien vous trouver à l'est de la ligne Floride — Michigan; dans ce cas, vous devrez opérer de façon différente.

S'il s'agit d'une déclinaison Est, réglez votre boussole sur la carte comme d'habitude. Voyez le chiffre en degrés sur l'habitacle au point où celui-ci touche la ligne de direction. *Soustrayez* de ce chiffre le nombre de degrés de votre déclinaison Est, puis faites pivoter l'habitacle de votre boussole jusqu'à ce que la ligne de direction soit en regard du nouveau nombre de degrés. Et voilà votre boussole réglée pour votre carte et votre déclinaison. Tenez la boussole devant vous, orientez-la en veillant à ce que l'extrémité nord de l'aiguille soit pointée vers le N de l'habitacle et poursuivez votre route dans la direction indiquée par la flèche de direction.

Par exemple, supposons que vous habitiez à un endroit de la Californie où la déclinaison est de 18° E. Vous posez

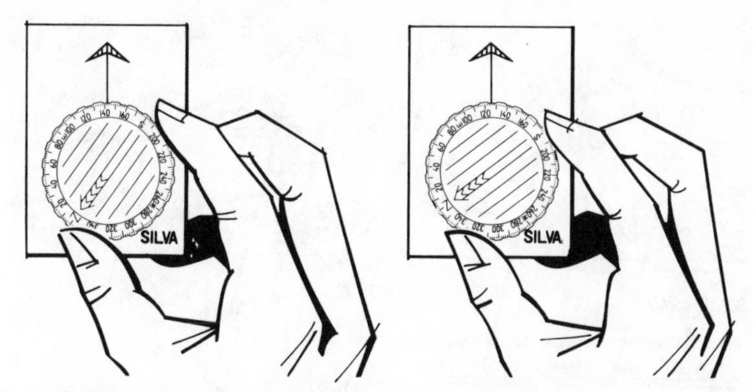

Pour corriger une déclinaison Est, vérifiez le nombre de degrés à la base de la ligne de direction et soustrayez la déclinaison; réglez la boussole sur le nouveau nombre de degrés.

votre boussole sur votre carte et votre réglage vous donne 144°. Vous soustrayez 18 de 144 et vous obtenez 126. Vous réglez votre boussole sur ce nouveau chiffre en tournant l'habitacle jusqu'à ce que la ligne de direction touche 126 sur le bord de l'habitacle. Vous voilà prêt à vous mettre en route.

Rappelez-vous donc que si votre déclinaison est Est, vous devez *soustraire* du chiffre de votre réglage le nombre de degrés de déclinaison. Donc, autant de degrés en moins.

Cartes avec lignes de déclinaison magnétique

A chaque fois que vous réglez votre boussole sur un azimut, vous devez faire deux opérations. Régler votre boussole vis-à-vis la direction et ensuite soustraire ou ajouter la déclinaison. L'une de ces opérations peut être supprimée à l'aide de lignes de déclinaison magnétique tracées sur la carte. Elles représentent le Nord magnétique, déclinaison calculée. Comment faire pour les tracer?

En utilisant le Nord magnétique de la carte: le plus simple est de tracer une ligne dans le prolongement de celle qui est représentée en marge de la carte. Recouvrez la carte de ces

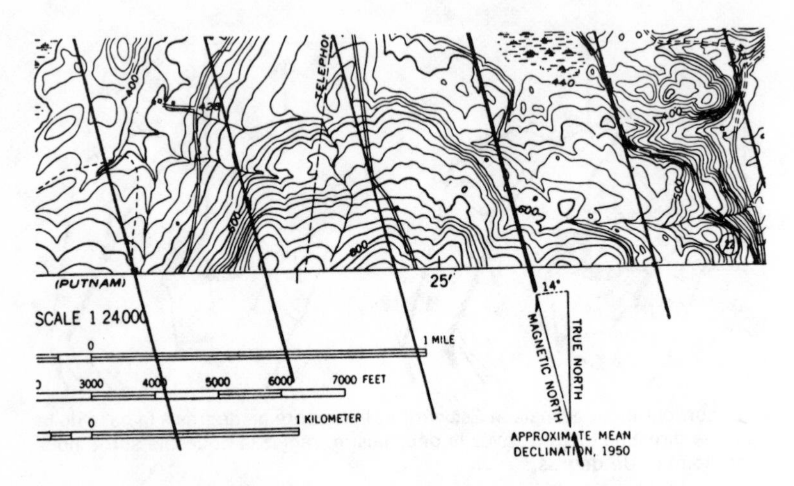

Tracez les lignes de déclinaison magnétique à l'aide du diagramme de déclinaison qui se trouve en marge de la carte.

lignes espacées de 1 à 2 pouces. Ces lignes doivent être très précises, d'autant plus qu'il est très difficile d'obtenir de la précision parce que la ligne du Nord magnétique de la marge est très courte et que dans le cas d'un diagramme où l'angle est très fermé, la distinction entre les deux lignes est très imprécise. Cependant, ces imperfections peuvent être évitées de la manière suivante: vérifiez à plusieurs endroits sur votre carte si l'angle de déclinaison est exact.

En utilisant la boussole: l'utilisation de la boussole comme rapporteur donne des résultats beaucoup plus précis. Si vous avez une carte à déclinaison Ouest, vous soustrayez la déclinaison de 360 degrés (nord). Si la déclinaison est de 14 degrés Ouest, par exemple, vous aurez 346 degrés (360 — 14 = 346 degrés). Vous placez la boussole sur la carte en alignant les lignes parallèles du fond du boîtier avec le côté droit de la carte et vous tracez la ligne de déclinaison magnétique sur le côté gauche de votre boussole. Si la déclinaison est Est, vous ajoutez par exemple 10 degrés à 360 donc, 10 degrés, mais cette fois-ci vous tracerez votre ligne de déclinaison magnétique à droite en posant la boussole sur le côté gauche de la carte.

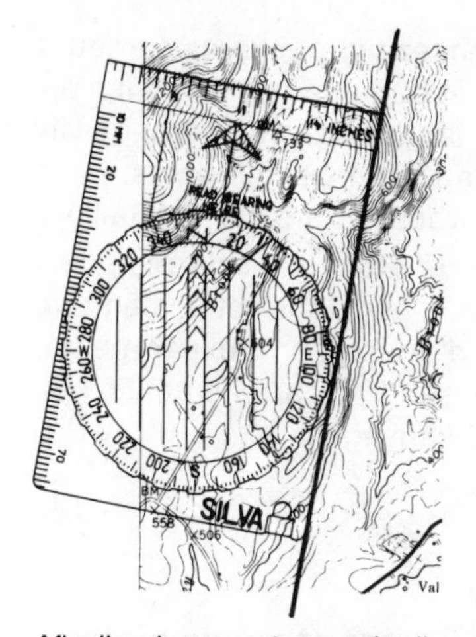

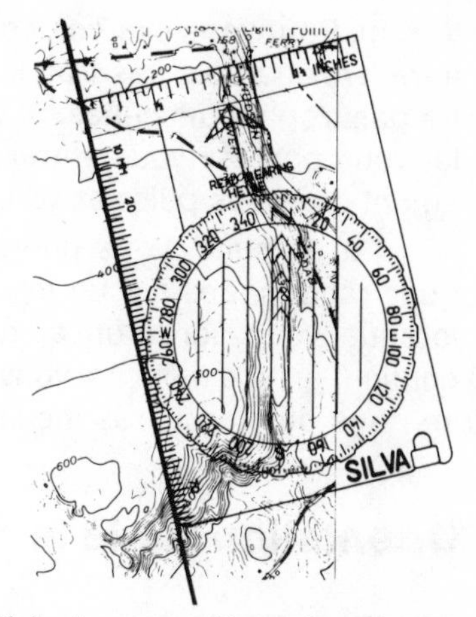

Afin d'avoir une carte avec des lignes de déclinaison magnétique plus précises, réduire ou ajouter la déclinaison sur la boussole et tracer la première ligne à l'aide du bord de la carte.

Dorénavant, lorsque vous vous servirez de cette carte où vous avez tracé les lignes de déclinaison magnétique, vous n'aurez plus à faire les calculs de déclinaison pour prendre un azimut. Il se peut que les méridiens (ou lignes du Nord géographique) sur votre carte ne soient pas parallèles aux côtés de la carte. Dans le cas de la carte-modèle ça ne pose aucun problème, puisque la longitude est inscrite au coin de la carte, dans la marge de droite, en haut et en bas: 73° 22' 30". Pour une carte où la longitude n'est pas indiquée dans les coins, mais plus haut et plus bas dans la marge, tracez un méridien d'un chiffre à l'autre. Si cette ligne est parallèle à la marge vous pouvez vous en servir pour tracer les lignes de déclinaison magnétique, ou vous servir de la marge. Sinon, vous devez tracer vos lignes de déclinaison magnétique à partir d'un méridien.

L'ART DE L'ORIENTATION

Maintenant que vous avez appris à utiliser simultanément une carte et une boussole, vous êtes prêt à vous orienter sur le terrain. Pour vous exercer, commencez par quelques parcours à travers champs, pas trop longs, et dans une région qui n'offre pas trop de difficultés. Si vous habitez dans une grande ville, vous pourrez vous entraîner dans l'un de ses parcs, pour autant que vous puissiez vous en procurer une carte détaillée.

Par la suite, vous pourrez vous attaquer à de plus longues randonnées sur un terrain plus accidenté et finalement, lorsque vous serez un amateur d'orientation* expérimenté, confiant en vos moyens, vous vous sentirez parfaitement à l'aise dans des territoires incultes et sauvages.

Orientation sur le terrain

Pour votre premier parcours, utilisez une carte topographique de votre district sur laquelle vous tracerez votre itinéraire. Choisissez un point de départ facilement accessible, déterminez sur la carte quatre ou cinq emplacements à atteindre et terminez votre itinéraire à l'endroit d'où vous êtes parti. Entreprendrez-vous seul votre excursion ou bien préférez-vous qu'un ami vous accompagne?

Avant de vous élancer à travers champs, il est bon que vous orientiez votre carte pour vous faire une idée d'ensemble de la configuration du terrain et de la randonnée que vous allez entreprendre.

Orienter une carte au moyen de la boussole

Ainsi que vous l'avez appris en vous entraînant (page 53), une carte est orientée quand l'orientation de la carte correspond à l'orientation sur le terrain. Cela peut se faire par l'observation des lieux environnants, (page 53), mais la chose devient infiniment plus simple au moyen d'une boussole. Il existe deux façons de procéder:

---

* Le mot "orientation" désigne ici le sport d'orientation, ou course d'orientation, originalement nommé *Orienteering*.

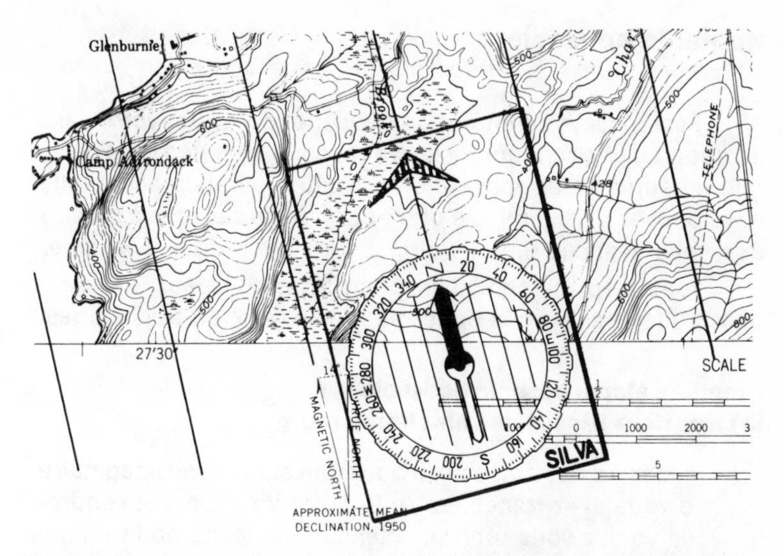

Un des moyens d'orienter votre carte avec une boussole consiste à placer un côté de la plaque de base en ligne parallèle avec la ligne du nord magnétique. Tournez ensuite la carte jusqu'à ce que la boussole soit orientée.

En utilisant le diagramme de déclinaison de la carte — Réglez votre boussole à 360°, puis posez-la sur la carte de telle manière que le côté de la plaque de base soit parallèle à la ligne du nord magnétique du diagramme de déclinaison qui se trouve dans la marge de votre carte, la flèche de direction pointée vers le Nord. Ensuite, tournez la carte avec la boussole placée dessus jusqu'à ce que l'extrémité nord de l'aiguille aimantée soit braquée vers le N de l'habitacle de la boussole. La boussole est orientée et la carte aussi.

En utilisant les lignes de déclinaison magnétique — Placez le boîtier de la boussole à 360°. Posez la boussole sur la carte dans le même sens que les lignes de déclinaison magnétique qui sont tracées parallèlement (page 122). Tournez l'ensemble, carte et boussole, de telle sorte que l'aiguille aimantée soit dans le prolongement des lignes de déclinaison magnétique. Votre carte est maintenant orientée.

Régler la boussole

Il est dans votre intérêt de déplier et d'orienter votre carte au départ d'une randonnée sauvage, pour avoir une idée générale de votre trajet, mais une fois cette opération accomplie, vous pouvez orienter votre carte par petites sections à mesure que vous avancez et vous diriger au moyen de la boussole.

Votre déplacement d'un point à un autre sur une carte peut s'effectuer avec la boussole qui se règle en trois étapes:

Première étape: poser la boussole sur la carte dans le sens de votre future route

Placez un des côtés de la boussole sur la ligne imaginaire, ou que vous avez tracée, entre le point de départ et l'endroit où vous voulez vous rendre. Attention! la flèche de la plaque de la boussole doit pointer vers votre destination. Ne vous préoccupez pas de l'aiguille aimantée pour l'instant.

Deuxième étape: régler le boîtier mobile de la boussole

Sans faire bouger la boussole, tournez le boîtier de façon à ce que les lignes parallèles du fond du boîtier soient dans le même sens qu'une ligne de déclinaison magnétique tracée sur la carte. Ne vous préoccupez pas encore de l'aiguille aimantée. La boussole est maintenant orientée correctement, les lignes de déclinaison magnétique tracées sur la carte vous évitant toute erreur due à la déclinaison magnétique.

Troisième étape: suivre la direction indiquée sur la boussole

Tenir la boussole en face de vous avec la flèche de direction orientée vers l'avant. Tournez sur place, jusqu'à ce que la pointe de l'aiguille aimantée soit parallèle aux lignes du fond du boîtier et pointée vers le N. Votre boussole est orientée dans

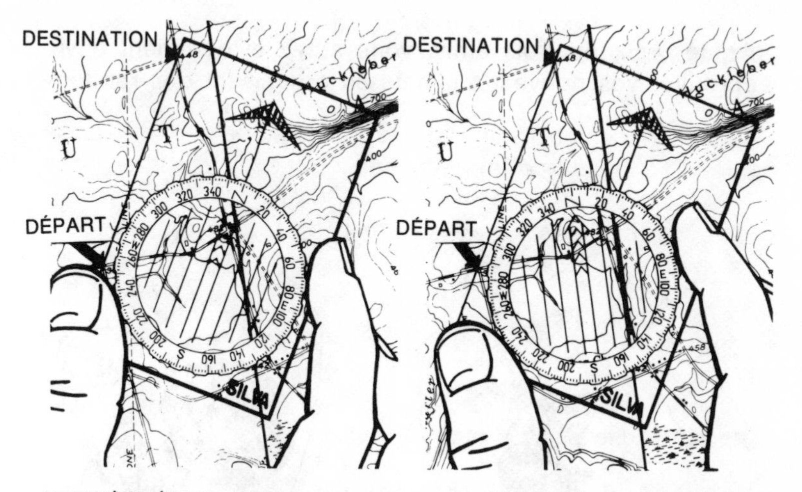

PREMIÈRE ÉTAPE. Régler la boussole d'après la carte: 1. Juxtaposez un côté de la base de la boussole à la ligne reliant le point de départ au lieu de destination. 2. Faites pivoter l'habitacle jusqu'à ce que la flèche d'orientation soit parallèle au méridien le plus proche.

DEUXIÈME ÉTAPE. Ajuster votre position au réglage de la boussole: 1. Tenez la boussole en main, de niveau, la flèche de direction braquée devant vous. 2. Pivotez sur vous-même jusqu'à ce que la boussole soit orientée, l'aiguille dirigée vers le N.

le sens de votre véritable trajet. Levez votre tête maintenant et fixez un point de repère à l'horizon qui vous aidera à aller en ligne droite. Marchez vers ce point de repère. Quand vous l'avez atteint vous en choisissez un autre à l'horizon et ainsi de suite jusqu'à votre destination.

Lorsque vous serez arrivé à la première étape de votre parcours, vous examinerez de nouveau votre carte et vous réglerez votre boussole pour l'étape suivante, et ainsi de suite, jusqu'à ce que vous ayez couvert votre itinéraire. Vous vous retrouverez finalement à votre point de départ, fier de votre exploit, car vous aurez mené à bien votre première randonnée à l'aide de la boussole.

Un parcours imaginaire

Lorsque vous aurez couvert des trajets relativement courts en vous orientant par vos propres moyens ou en compagnie de deux ou trois amis, vous aurez évidemment envie d'éprouver vos nouveaux talents en organisant des randon-

TROISIÈME ÉTAPE. Relever la tête et choisir un point de repère en regardant dans la direction indiquée par la flèche de direction. Acheminez-vous vers ce point de repère, puis relevez à la boussole un autre point sur votre trajet. Continuez de cette manière jusqu'à votre lieu de destination.

nées plus importantes. Il s'agira alors d'élaborer sur la carte un itinéraire dans une région inconnue comportant cinq milles (8 km) ou plus, selon votre endurance, et de suivre cet itinéraire sur le terrain à l'aide d'une carte et de votre boussole.

Afin d'avoir un aperçu de ce que représente un tel parcours, consultez la carte modèle à la fin du livre, choisissez un certain nombre d'emplacements où vous désirez aller et essayez de concevoir comment vous feriez pour vous rendre d'un point à un autre si vous vous trouviez vraiment dans cette région. Par exemple, admettons que vous choisissez les emplacements indiqués sur les cartes aux pages 132 et 133, le point de départ étant la route en T au nord de Meadow Knoll Cemetery, ce même endroit étant également votre lieu de destination après avoir accompli ce parcours dans le sens des aiguilles d'une montre.

Habillement et équipement

Certes, s'il s'agissait d'une véritable expédition à travers champs, il conviendrait d'envisager la question d'habillement et d'équipement avant de vous mettre en route. Il est donc indiqué de lui accorder de l'attention à ce stade.

Pour être bien à l'aise pendant la marche, vous trouverez qu'il est commode de revêtir de vieux vêtements convenant à la saison de l'année. Accordez surtout une grande attention au choix de vos chaussettes. Il ne faut pas qu'elles serrent ou qu'elles vous écorchent la peau. Quant à vos souliers, écartez les mocassins ou les souliers à semelle trop fine.

L'équipement dont vous aurez besoin consiste en une carte topographique de la région, votre boussole, une montre et un crayon.

Emportez également avec vous quelques sandwichs, du chocolat ou quelque autre aliment énergétique pour vous sustenter en cours de route, et en été, une gourde d'eau.

Etre méthodique

Vêtu et équipé comme il convient, vous arrivez au lieu que vous avez choisi comme point de départ. Pas de précipitation cependant, car pour s'orienter avec succès, il y a certaines règles que les amateurs d'orientation expérimentés appliquent parce qu'ils reconnaissent leur utilité. Il vaut mieux que vous preniez l'habitude de les observer dès le début.

Donc, au lieu de vous élancer sur votre parcours imaginaire, procédez avec méthode:

1. Trouvez sur votre carte l'emplacement exact où vous êtes.

Pour le point de départ, pas de difficulté. Vous vous trouvez sur la route en T au nord de Meadow Knoll Cemetery.

2. Recherchez sur votre carte l'emplacement exact du lieu où vous comptez vous rendre et contrôlez votre direction générale vers ce point.

Examinez votre carte. Le premier emplacement que vous désirez atteindre se situe au croisement, à quelques centaines de pieds au sud-est de Log Chapel: ¼ pouce S E du **l** de Log Chape**l**. Vous l'avez trouvé, à environ 7 000 pieds (2 135 m) à l'ouest de votre point de départ.

3. Tracez une ligne à vol d'oiseau du point où vous vous trouvez jusqu'à l'endroit où vous voulez aller.

Utilisez le côté de la plaque de base de votre boussole pour tracer cette ligne droite.

4. Considérez quel sera le meilleur chemin pour y aboutir.

Examinez attentivement votre carte. A partir de votre point de départ, cette ligne à vol d'oiseau qui se dirige vers votre destination traverse un terrain plat, puis descend une pente, traverse un ruisseau, monte un versant escarpé et continue ensuite en pays presque plat. Sur ce trajet, il n'y a pas de point de repère caractéristique qui pourrait vous aider à vous guider dans votre marche. Toutefois en modifiant quelque peu votre parcours, votre cheminement sera grandement facilité.

En effet, vous pourrez franchir un ruisseau et suivre un affluent presque jusqu'au bout de cette étape (voir cartes). Bien sûr, c'est ce que vous ferez.

5. Pour tout voyage à travers la campagne, réglez votre boussole avec précision.

Réglez la boussole sur votre carte depuis votre point de départ jusqu'au confluent du ruisseau et de son affluent. Quelle est la lecture du réglage? 256 degrés — exact! Et la déclinaison? D'après le diagramme en marge de la carte, 14 degrés à l'ouest. Faut-il additionner ou soustraire? Additionner (voir page119).Vous ajoutez donc 14 à 256, votre réglage initial, soit 270 degrés, et vous réglez votre boussole.

6. Prenez note de l'heure lorsque vous partez d'un point pour aller vers le point suivant.

Votre carte vous indique la distance entre ces deux emplacements et, connaissant la distance, vous pourrez évaluer approximativement le temps qu'il vous faudra pour vous rendre au point suivant. Lorsque ce laps de temps se sera écoulé, vous ne serez pas loin de votre but et en observant attentivement la campagne environnante vous ne devriez rencontrer aucune difficulté pour le situer.

Le départ

Enfin vous voilà paré! Vous vous acheminez sur l'itinéraire que vous avez choisi, depuis votre point de départ no 1.

La première partie du parcours passe par un pâturage entre des collines à forte déclivité, puis vous descendez la pente en traversant un bocage de cèdres argentés. Au bas de la côte, vous trouvez le ruisseau au cours lent et sinueux.

Si vous n'avez pas abouti exactement au confluent du ruisseau et de son affluent, il ne devrait pas être bien loin. Oui, mais où? En amont ou en aval?

Examinez votre carte. Vous constatez que le ruisseau que vous avez l'intention de suivre descend le versant abrupt qui se trouve devant vous. Vous devriez donc l'entendre. Ecoutez. Ah

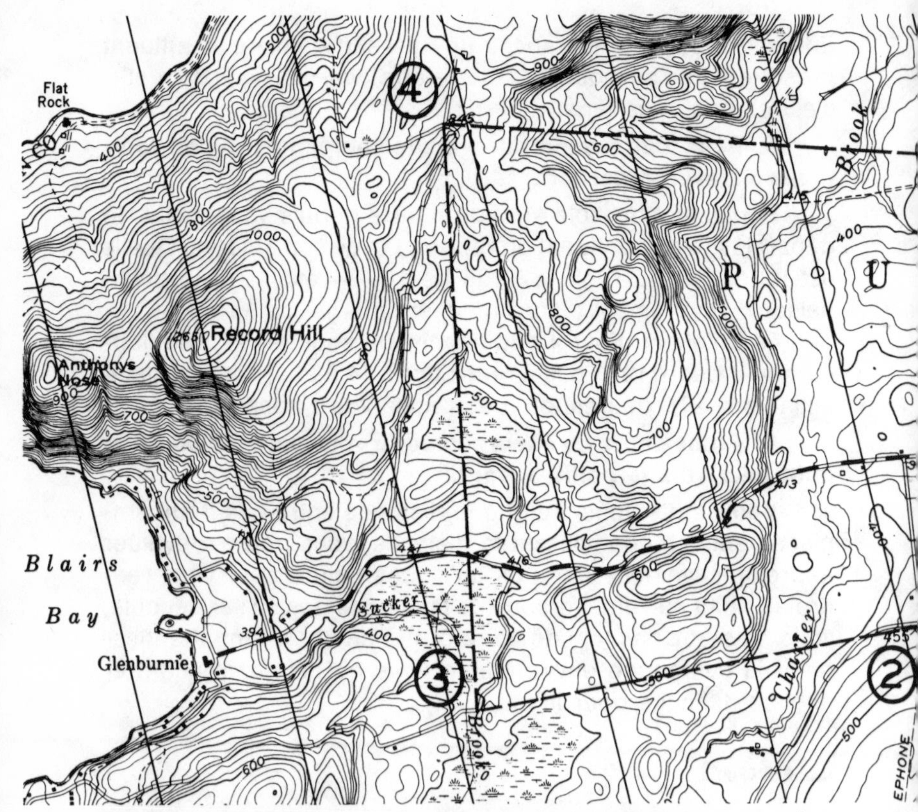

Situez l'itinéraire suivant sur la carte de la page 220. Vous trouverez une description du parcours aux pages 129 et ss. (départ en D, puis 1, 2, 3, 4, 5 et arrivée en A).

voilà! Un peu en amont, à votre gauche. Vous escaladez l'escarpement sans trop vous écarter du ruisseau. C'est une fameuse escalade, mais, le sommet atteint, le reste du parcours est facile, car le terrain est presque plat à présent.

Vous arrivez sur le chemin de terre à l'endroit où il franchit le ruisseau et vous poursuivez cette étape vers le nord-ouest jusqu'à la route en T. Ensuite vous prenez la route à l'ouest jusqu'au croisement au sud de Log Chapel. Tout au long de ce trajet, vous vérifiez votre itinéraire d'après les indications de votre carte.

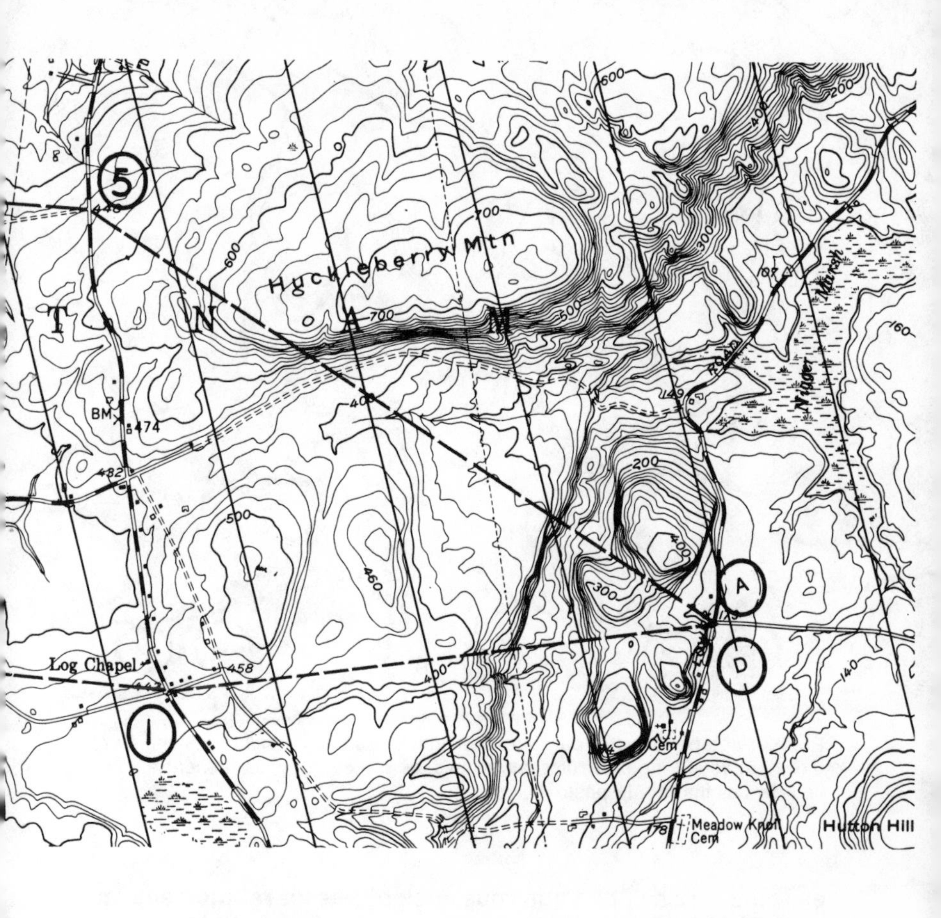

Vous êtes parvenu à votre lieu de destination comme prévu. Vous pouvez en être fier! Vous êtes impatient de repartir pour votre deuxième étape, vers le croisement ¾ de pouce sur la carte, à l'est du **e** de Charter Brook, une distance d'à peu près 2 800 pieds (853 m) dans la direction Ouest-Nord-Ouest de l'endroit où vous vous trouvez à présent. Vous trouvez cet emplacement sur la carte et vous tracez votre ligne droite. Cette fois, le trajet n'offre rien de particulier, car il suit à peu de chose près la route qui vous conduira à votre seconde destination. Vous réglez votre boussole et vous vous remettez

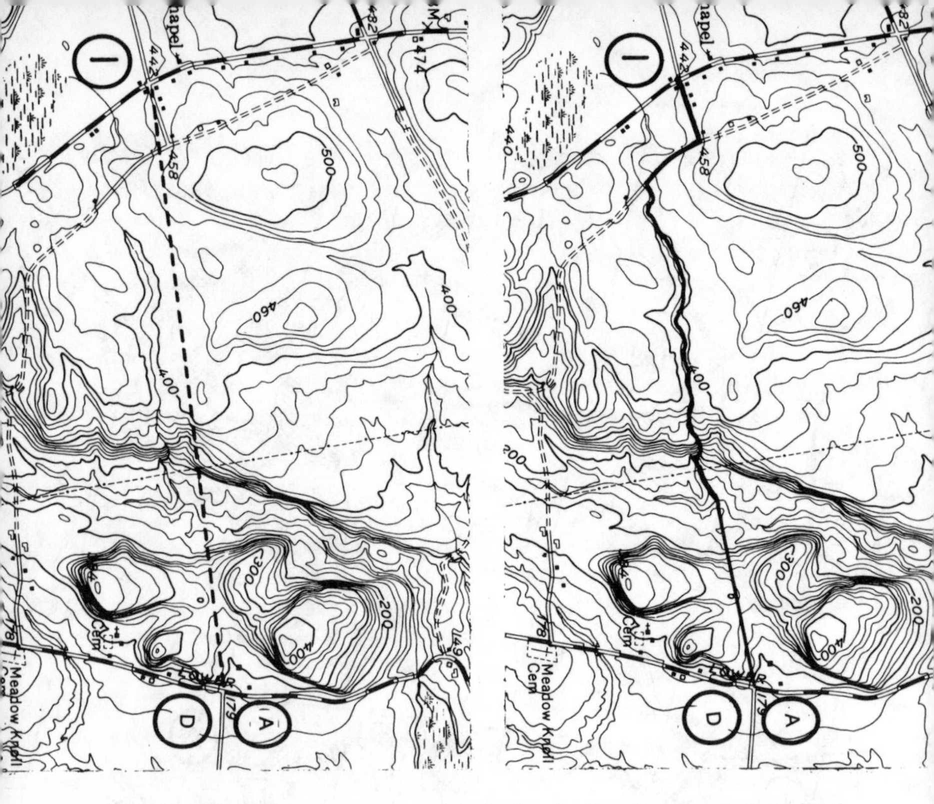

Première étape de votre parcours imaginaire. Au lieu de suivre la ligne à vol d'oiseau, vous longez le ruisseau et puis les routes qui vous mènent à votre lieu de destination, le poste 1.

en route vers ce point que vous atteignez assez rapidement. Ici, vous vous préparez à vous acheminer vers le point numéro 3, le virage sur la route 1/16 de pouce au nord du **B** de Sucker **B**rook. Un bon bout de chemin à parcourir, 5 800 pieds (1 765 m) W.S.W.

Emprunter les routes pour aller vite

Vous tracez votre ligne à vol d'oiseau. Elle traverse le ruisseau Charter Brook, puis des pentes raides et l'extrémité d'un marécage. Au lieu de suivre la ligne droite, vous remarquez qu'il serait plus aisé de suivre la route qui se dirige vers le sud-ouest et vers la ferme, puis de franchir le ruisseau (Charter Brook) non loin de la ferme. Il est probable qu'une passerelle enjambe le ruisseau et que vous pourriez passer par là avec la permission du fermier; alors, vous continueriez votre marche entre deux collines et vous contourneriez le côté nord du marécage.

C'est ce que vous faites et les choses se passent comme vous l'aviez imaginé. Vous arrivez à votre point numéro 3, les pieds secs. Vous examinez alors ce qu'il faut faire pour atteindre le point numéro 4, c'est-à-dire la route en Y 1½ pouce N.N.E. du **I** de Record Hi**l**l, à environ 7 200 pieds (2 195 m) de l'endroit où vous vous trouvez. La ligne vers ce point, à vol d'oiseau, apparaît comme un parcours hasardeux. D'abord un marécage, puis une escalade et une descente, encore un marécage et pour terminer une forte montée le long d'un cours d'eau. Aussi, très sagement, en amateur d'orientation avisé, vous décidez d'emprunter les routes qui se dirigent vers le nord et vous parvenez à votre lieu de destination.

Maintenant en route vers le numéro 5, la route en T ⅝ de pouce NNE du **T** de PU**T**NAM, à environ 7 900 pieds (2 405 m) vers l'est.

A travers champs

Votre prochaine étape d'un mille et demi (2,4 km) à travers une région accidentée s'annonce très difficile.

Vous examinez la ligne que vous venez de tracer. Peut-être cette étape ne sera-t-elle pas aussi pénible que vous pensiez, tout au moins si vous vous dirigez vers ce ruisseau que vous pourrez côtoyer jusqu'à la ferme, puis si vous suivez la route vers le sud jusqu'à un sentier qui, à l'est, vous mènera jusqu'à une route non revêtue.

Vous réglez votre boussole en direction de la ferme et en route! D'abord le terrain est plat, puis il descend entre des côteaux couverts de sapins. Un peu plus loin, vous découvrez parmi de grosses pierres la source bruissante et gargouillante du ruisseau que vous suivez en vous frayant un chemin parmi les fougères. Puis, un peu plus loin encore, les rives deviennent herbeuses et vous arrivez à la ferme. Vous vous arrêtez un instant pour jeter un coup d'oeil sur la vallée: un bel endroit où vous aimeriez revenir. Tout en bas, dans le ruisseau (Charter Brook), vous apercevez une hutte de castors. Vous admirez le point de vue, mais il faut repartir et poursuivre votre itinéraire vers le sud et par la route, ensuite vers l'est en suivant le sentier.

Mais où donc est le sentier? Il devrait être ici au coude que fait la route. Pas la moindre trace de sentier! Par bonheur, vous n'êtes pas pris au dépourvu car vous avez compté vos pas depuis la ferme. C'est bien l'emplacement où il se situe, mais il se perd dans les brouissailles. Il vous faudra vous diriger à la boussole avec l'espoir de découvrir la route non-revêtue, qui vous mènera au point numéro 5. Votre boussole réglée, vous vous remettez en route et vous tombez sur une petite passerelle qui franchit le ruisseau. C'était donc bien le bon chemin. Et plus loin, voici encore un soliveau qui a été jeté sur un petit affluent, puis le chemin de terre, et vous apercevez déjà devant vous la route en T que vous vouliez atteindre.

Il n'y a plus qu'une étape à parcourir pour revenir à votre point de départ, la route en T 1¼ pouce au nord du **a** de Me**a**dow Knoll Cemetery. A quelle distance? A peu près 9 500 pieds (2 900 m) S.E.

Choisir le parcours le moins rebutant

Vous avez déjà repéré votre objectif sur votre carte. La ligne droite que vous avez tracée grimpe un versant de Huckleberry Mountain, dégringole un escarpement, remonte une pente raide et redescend de l'autre côté. Mais il doit bien y avoir un chemin plus facile. Ah, vous avez trouvé! Vous avez décidé de contourner cet escarpement de la montagne et vous atteignez le chemin de terre au sud de celle-ci. Il ne vous reste plus qu'à le suivre jusqu'à la grand'route que vous empruntez en direction sud pour parvenir à votre but.

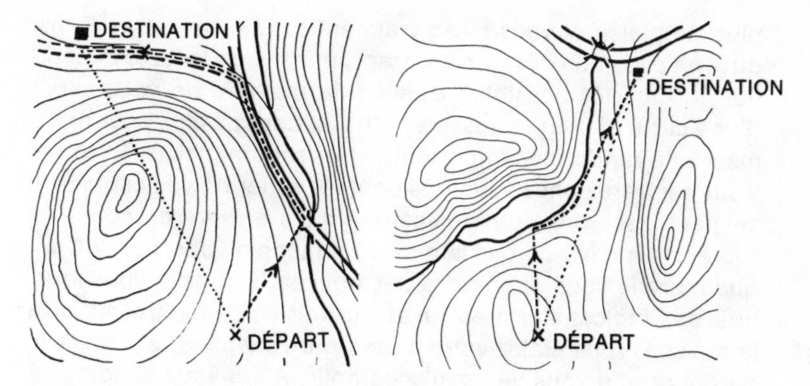

Choisissez l'itinéraire le plus commode. A gauche, au lieu d'escalader la montagne, dirigez-vous vers le pont et suivez les routes. A droite, acheminez-vous vers un point de repère bien visible, tel le rivage de ce lac, tout en vous rapprochant de votre lieu de destination, puis poursuivez votre chemin en vous dirigeant à la boussole.

Vous réglez votre boussole à 132 degrés auxquels vous ajoutez 14 degrés de déclinaison, ce qui vous donne un total de 146. La marche n'est pas trop fatigante. Parfois, vous vous acheminez parmi des rochers, parfois vous traversez des bosquets de pins, ou encore des buissons d'airelles ou de mûres.

Vous atteignez le chemin de terre sillonné d'ornières, très frais et ombragé, et vous vous félicitez de n'avoir pas dû escalader la montagne, ni descendre son versant escarpé. Vous pouvez la voir, d'ailleurs, de l'endroit où vous passez: un escarpement de quelque trois cents pieds (91,5 m).

Le trajet qui vous reste à faire n'offre aucune difficulté et il n'est même pas nécessaire d'utiliser votre boussole — la carte vous indique clairement la route à suivre. Vous arrivez sur la route principale à l'ouest de Niger Marsh et vous la suivez en direction du sud jusqu'à ce que vous parveniez à la route en T au cimetière de Meadow Knoll.

Une véritable randonnée

Vous venez de terminer votre première randonnée. Est-ce que cela vous a plu? Certes, vous auriez eu encore bien plus de plaisir si vous aviez vraiment été sur le terrain. Pourquoi ne pas vous décider à entreprendre une véritable expédition le plus tôt possible? Quant à la manière de vous servir d'une carte et d'une boussole, vous en savez assez pour organiser une randonnée importante et y prendre plaisir. En route! Vous rentrerez chez vous très content et fier de vos exploits. Il se peut que vous commettiez quelques erreurs en cours de route, mais n'est-ce pas la meilleure façon d'apprendre? Chaque marche vous apprendra des nouveaux trucs et vous fournira des indications précieuses surtout si, dès votre retour à la maison, vous étalez votre carte pour l'examiner et refaire le parcours que vous venez d'accomplir. Alors vous songerez à projeter une nouvelle expédition, puis après celle-là encore une autre, car il y en aura beaucoup d'autres! Quelle belle science que l'orientation. Dorénavant, où que vous soyez, la campagne éveillera en vous le désir de mesurer votre habileté à vous orienter en parcourant ses vastes étendues.

L'orientation sera pour vous bien plus qu'une discipline nouvellement acquise. Elle vous permettra de devenir votre propre guide et de découvrir des cours d'eau poissonneux, à l'écart des sentiers battus. Elle vous permettra aussi d'entreprendre des expéditions de chasse d'envergure ou de passer des vacances en canoë dans l'une ou l'autre belle région sauvage parsemée de lacs.

Car, bien que l'orientation soit un passe-temps délassant et passionnant, elle ne constitue pas une fin en soi. Elle a essentiellement pour but de vous entraîner constamment à combiner intelligemment l'usage précis des cartes et de la boussole afin que vous puissiez vous orienter et retrouver votre chemin en territoire inconnu.

Les régions sauvages

Si vous avez de l'ambition, vous finirez par vouloir exercer vos talents et votre science de l'orientation lors de voyages plus importants à travers des régions sauvages, dans un but d'exploration, pour aller camper ou en vous adonnant à votre passe-temps préféré: pêche ou chasse.

De tels voyages ne doivent pas être tentés par des débutants. Il vous faudra posséder à fond bien d'autres disciplines sportives connexes avant d'entreprendre un voyage d'une semaine ou d'un mois à travers un territoire sauvage qui vous est inconnu.

Entraînement aux voyages en pays sauvage

En plus de votre habileté à utiliser carte et boussole pour vous diriger, il y a d'autres disciplines et qualités sportives que vous devrez posséder si vous voulez que votre expédition soit une réussite.

Longues marches — Pour une petite excursion à pied non loin de chez vous, il ne vous faut pas d'équipement spécial, ni d'entraînement à la marche, mais lorsqu'il s'agit de parcourir un grand itinéraire c'est une tout autre affaire. Alors, il est bon que vous sachiez quelles chaussures et quels vêtements vous devriez mettre, comment faire pour marcher sans efforts, quand et comment vous reposer, comment veiller à votre sécurité pendant la marche, comment donner les premiers soins en cas d'accident lorsqu'à votre portée il n'y a ni médecin ni hôpital.

Notions de camping — Si pendant votre voyage vous devez passer plusieurs nuits à la belle étoile, il faut que vous sachiez vous débrouiller: quel équipement choisir et comment le transporter, quels aliments emporter, comment les transporter et les préparer, quel emplacement choisir pour camper, comment dresser une tente, comment faire un feu de bois et comment s'assurer qu'il est bien éteint, quelles dispositions sanitaires il importe de prendre, comment faire pour que l'emplacement que vous avez choisi soit propre lorsque vous le quitterez.

Emploi du canoë — Si vous comptez faire une grande partie du voyage en canoë, il vous faudra vous soumettre à un entraînement particulier et apprendre pas mal de choses à ce sujet avant de vous risquer sur les lacs et les cours d'eau. Il faut que vous soyez très bon nageur; il est nécessaire que vous sachiez vous servir d'un canoë: comment le mettre à l'eau et comment aborder, comment pagayer, le style, le coup de pagaie à adopter en diverses circonstances, comment préparer le canoë pour le portage, la bonne technique du portage, comment veiller à votre sécurité sur lacs et rivières et dans n'importe quelles conditions atmosphériques.

Toutes ces disciplines ne peuvent s'apprendre qu'en plein air, sur le terrain. Si vous êtes membre, ou si vous l'avez été, d'un club de plein air ou d'un des principaux mouvements de jeunesse, Scouts ou Guides, vous aurez déjà fait beaucoup de marche, de camping, de natation et de canoë. Dans le cas contraire, il serait souhaitable que vous vous entraîniez en entrant dans un cercle de plein air de votre district.

Certains ouvrages peuvent vous être utiles en vous proposant des méthodes et des techniques qui compléteront votre éducation d'homme avide de grands espaces.

Organiser votre voyage

D'abord, où désirez-vous aller? C'est la première décision à prendre. Examinez donc la carte du Canada et choisissez le territoire où vous voulez vous rendre. Il y a des tas de régions qui s'offrent à votre choix: parcs nationaux et parcs provinciaux qui sont répartis sur tout le pays et quelques provinces largement pourvues de cours d'eau et de lacs se prêtent particulièrement bien aux expéditions en canoë dans des régions d'une beauté sauvage et pittoresque: Nouveau-Brunswick, Ontario, Québec, etc. Vous pouvez aussi aller du côté des Etats-Unis.

Ensuite, il faudra vous procurer une carte topographique de la région sur laquelle s'est porté votre choix. Pour la marche à suivre, reportez-vous à la page 14. Demandez que l'on vous donne des renseignements sur les possibilités de camping et de voyages en canoë dans cette région. Bon nombre de provinces tiennent à la disposition des voyageurs, campeurs, chasseurs et pêcheurs, des brochures spéciales qui leur fourniront de précieux renseignements.

Tracer votre itinéraire

A présent, il s'agit de tracer l'itinéraire que vous comptez suivre à travers la région que vous avez choisie comme étant celle qui répond à vos attentes, mais ne soyez pas trop ambitieux. Quelque dix milles (16 km) de marche par jour, si vous êtes en forme, c'est bien assez et vous n'aurez pas envie d'en faire plus. En canoë, quinze milles environ (24 km) suffiront comme tâche quotidienne. Ne vous astreignez pas à vous mettre en route tous les jours de votre voyage. Accordez-vous certains jours de répit, de détente pendant lesquels vous pourrez à loisir vous adonner à votre passe-temps préféré, que ce soit la pêche ou la chasse, la photographie ou l'étude de la nature ou simplement vous reposer sans faire quoi que ce soit.

Obtenir des renseignements régionaux

Lorsque vous aurez établi votre itinéraire, il sera grand temps de vous procurer des renseignements sur la région que vous allez parcourir. Dans certains cas, vous pourrez vous fier aux indications de la carte et des brochures traitant de cette contrée. Cependant, comme rien n'est immuable, vous feriez bien de vous assurer de ce qui vous attend avant de vous mettre en route. Il conviendrait de savoir, par exemple, où acquérir ou louer votre équipement, s'il est possible d'acheter des produits alimentaires en cours de route ou s'il faut les acheter à la localité d'où vous partirez, où se trouvent les terrains de camping et quels en sont les règlements,quels sont les cours d'eau navigables et à quels endroits le portage est réalisable. En général, vous pourrez obtenir tous ces renseignements en vous adressant au Bureau de poste ou au magasin général du village le plus proche de votre point de départ (n'omettez pas une enveloppe timbrée à votre adresse pour la réponse).

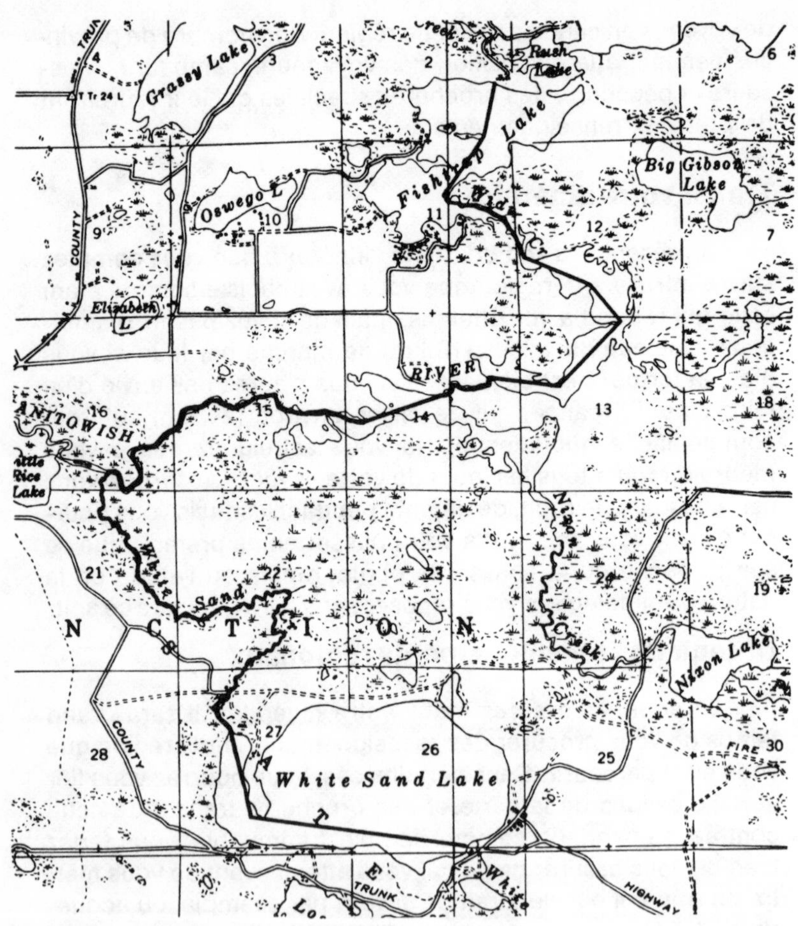

En guise d'essai, tracez votre itinéraire d'excursion en canoë sur une carte topographique, puis procurez-vous des renseignements sur cette région. Les lignes droites indiquent les distances où vous vous dirigerez à la boussole.

En route!

Tous vos préparatifs sont terminés et vous voilà prêt à vous mettre en route. Si votre capacité pour entreprendre l'expédition projetée est vraiment à la hauteur des qualités requi-

Lac ou étang saisonnier ....

Rapide important ....

Petit rapide ....

Chute importante ....

Petite chute ....

Canal, aqueduc ....

Altitude du plan d'eau *870*

Quand vous entreprenez une expédition en canoë, il est extrêmement important que vous portiez attention à ces signes conventionnels. Seuls les canotiers très expérimentés pourront se risquer sur les rapides. Aux chutes d'eau, le portage est de rigueur.

ses pour sa bonne marche, vous devriez être en mesure de la mener à bonne fin tout en en tirant énormément de satisfaction.

Si, pour une raison quelconque, vous aviez quelque doute quant à votre aptitude à vous lancer seul dans une expédition quelque peu hasardeuse, nous vous conseillons de prendre un guide officiel pour un premier voyage dans une région qui vous est totalement inconnue. Vous serez alors tout à fait rassuré et, quand vous reviendrez dans cette région, vous aurez acquis l'expérience et la confiance nécessaire pour mettre votre projet à exécution par vos propres moyens.

En tous cas, avant d'entreprendre une randonnée en pays inhabité, il est prudent d'en aviser le garde-forestier ou le garde-chasse du domaine et de leur donner un duplicata de votre itinéraire. De cette façon, si vous étiez exposé à quelque danger imprévisible, des équipes de secours pourraient arriver jusqu'à vous sans trop de difficultés.

Toujours savoir où vous êtes

En cours de route, la chose la plus importante est de savoir où vous êtes à tout moment, c'est-à-dire en sachant situer votre position sur la carte et votre direction d'après la boussole.

Déterminez votre position sur la carte avant de vous acheminer d'un point à un autre, puis faites un relèvement précis à la boussole en tenant compte de la déclinaison et calculez la distance et le temps qu'il vous faudra pour la parcourir afin de connaître l'heure approximative à laquelle vous arriverez à votre lieu de destination. Faites des relèvements successifs de point de repère en point de repère et suivez votre itinéraire sur la carte même.

Malgré toute l'habileté que vous avez acquise en orientation, il se peut que parfois vous doutiez de vous lorsqu'il s'agira de savoir où vous vous trouvez ou de connaître votre direction. Que faire en pareil cas?

Dites-vous bien qu'il y a une chose qui ne peut vous arriver. Il est impossible que vous vous perdiez avec une carte et une boussole en main, si vous vous donnez la peine de réfléchir bien posément. Avec un peu d'imagination et de raisonnement, vous devriez être à même de retrouver votre chemin, si par hasard vous vous en êtes écarté. Il suffit de vous rappeler point par point ce que vous avez fait en contrôlant tout le trajet que vous avez parcouru depuis votre point de départ.

En premier lieu, avez-vous fait un réglage correct de votre boussole d'après votre carte? Avez-vous tenu compte de la déclinaison au départ ou avez-vous oublié cette compensation? Si vous ne l'avez pas oubliée, il se peut que votre cheminement ait été plus lent que vous ne vous y attendiez et que vous ayez encore un bout de chemin à faire avant d'atteindre votre destination. Si, par contre, vous l'avez omise, votre destination sera à l'écart, à gauche ou à droite, de l'endroit où vous trouvez, à votre droite, dans les contrées où la déclinaison est occidentale, à votre gauche pour une déclinaison orientale.

Si vous êtes dérouté et perplexe, vous pourrez revenir sur vos pas jusqu'à votre point de départ en suivant la lecture vers l'arrière de votre boussole, c'est-à-dire en marchant dans la direction opposée à celle qu'indique la flèche de direction (voir description détaillée page 81). Toutefois, si vous apercevez devant vous un point de repère qui accroche le regard:

une route, une voie ferrée, une rivière, le rivage d'un lac, il serait encore préférable de vous diriger dans ce sens et lorsque vous l'aurez atteint, vous pourrez dresser un nouveau plan de marche à partir de cet endroit.

Il vaut mieux éviter tout risque de vous tromper en suivant à la lettre la pratique de l'orientation, en organisant soigneusement votre expédition avant le départ, en réglant votre boussole correctement, en tenant compte de la déclinaison, en vérifiant votre parcours sur votre carte à maintes reprises et en vous orientant à la boussole, car vous pouvez vous y fier pour vous conduire à votre lieu de destination.

La course d'orientation

Depuis quelques années, l'orientation en tant que sport de compétition a fait la conquête de l'Europe, sous l'appellation de *course d'orientation.* Aujourd'hui, grâce à l'existence de Fédérations nationales de course d'orientation aux Etats-Unis et au Canada, beaucoup de clubs se sont formés dans les différents états et provinces de ces pays.

Les éducateurs de plein-air ont trouvé dans la course d'orientation des éléments pour stimuler l'intérêt à la vie en pleine nature, ainsi que l'apprentissage de l'utilisation de la carte et de la boussole. Il en résulte que ce sport fait de plus en plus partie des programmes d'un bon nombre d'écoles, de clubs de plein-air et de centres sportifs. La pratique de la course d'orientation est aussi devenue populaire chez les Scouts.

Le mot *course* pour ce genre d'épreuve est en quelque sorte mal utilisé. Ce n'est pas uniquement la vitesse qui détermine le gagnant de la course, mais l'ensemble des quatre éléments suivants:

1. Interpréter correctement les instructions données au départ de la course,
2. savoir planifier l'itinéraire à suivre,
3. utiliser intelligemment la carte et la boussole,
4. parcourir la distance dans le plus bref délai.

La course d'orientation est un *sport de réflexion* dans lequel l'habileté mentale soutient et surpasse même souvent l'habileté physique. Ce sport peut être considéré, du dire d'un amateur australien, comme "une course de ruse", la ruse étant généralement plus importante que la course.

Un bon coureur rapide peut échouer s'il ne suit pas les instructions données, s'il ne possède pas une bonne connaissance de la carte, s'il choisit mal son itinéraire, s'il n'est pas précis dans le réglage de sa boussole ou s'il oriente mal sa carte et sa boussole dès le départ.

Pour gagner une course d'orientation, il est préférable pour chaque participant de prendre son temps au départ pour tout vérifier attentivement et choisir l'itinéraire idéal. Ceci est spécialement vrai pour le débutant. Avec le temps, celui qui se passionne pour le sport d'orientation devient très habile pour manier la carte et le compas.

La course d'orientation peut s'adapter à toutes les activités de plein-air. Elle peut être l'occupation d'une journée de vie en plein-air, n'importe quel jour de l'année, pour un groupe de jeunes ou d'adultes. Elle peut être le thème principal d'un camp de Scouts, d'un poste d'explorateurs ou autre groupe de campeurs, que ce soit des garçons ou des filles. Un club d'athlétisme peut utiliser la course d'orientation dans ses programmes d'activités. Une unité militaire peut intégrer l'orientation à son programme de formation militaire; c'est la meilleure façon d'apprendre à se déplacer et à avoir confiance en soi. Peu importe l'âge, la course d'orientation est une activité facile pour ceux qui n'ont ni entraînement, ni connaissance; elle constitue un défi à relever pour les experts, individuellement ou en équipes de deux ou plus. Un club de course d'orientation qui se voue à la compétition peut organiser des courses de différentes longueurs et de divers niveaux de difficultés suivant les objectifs du club et des membres, qu'ils soient intéressés à la compétition d'ordre local, national ou international.

Quelles que soient les rencontres, les exigences sont les suivantes:

Choix du terrain: de préférence avec des collines boisées et de nombreux points de repère naturels ou faits par l'homme.

Cartes: une carte topographique ou une carte préparée spécialement devrait être à la disposition de chaque personne ou équipe.

Boussoles: une boussole doit être à la disposition de chaque personne ou équipe.

Balises: une balise indiquant chaque poste de contrôle doit être placée le long du parcours.

Encadrement: un nombre suffisant de personnes pour tracer le parcours, donner le signal de départ, chronométrer la course ou pour remplir d'autres fonctions officielles.

LES SORTES DE COURSES D'ORIENTATION

A proprement parler, il existe deux sortes de courses d'orientation en compétition. Cependant, chacune d'entre elles comprend des variantes.

Course d'orientation libre — Celui qui trace le parcours choisit des points de contrôle sur le terrain, mais le coureur doit décider lui-même de l'itinéraire à suivre pour aller d'un point à un autre.

Course d'orientation dirigée — Celui qui trace le parcours ne choisit pas seulement les points de contrôle pour les coureurs, mais trace en plus sur la carte l'itinéraire que le coureur doit suivre pour aller d'un point à l'autre.

LES VARIANTES DE LA COURSE D'ORIENTATION LIBRE

La course d'orientation libre donne à l'amateur d'orientation la chance de décider le plus vite possible de l'itinéraire à suivre selon son aptitude à utiliser efficacement la carte et la boussole.

Parmi toutes les variantes possibles de ce genre de course, on remarque que la course d'orientation par postes ou ordonnée (COO) est de loin la plus populaire. C'est ce genre de course qui est universellement utilisée pour les championnats nationaux et internationaux.

Il existe également la *course d'orientation à relais (COR)* et la *course d'orientation aux points (COP)* qui impliquent un choix d'itinéraire libre. La course d'orientation ordonnée est une lutte acharnée du corps et de l'esprit, en solitaire, chaque coureur défiant tous les autres, tandis que la course d'orientation aux points et à relais favorise la participation en groupes plus ou moins grands. Cependant, la course d'orientation ordonnée peut également, dans certaines circonstances, comporter une forme de compétition par équipes. Pour ce faire, les trois meilleurs coureurs de chaque club engagé forment l'équipe. On additionne à l'arrivée les trois temps de course pour classer l'équipe.

La course d'orientation ordonnée (COO)

BUT: épreuve de prise de décision rapide pour déterminer le meilleur chemin possible entre deux postes. Cette épreuve exige un effort mental et physique lors du trajet effectué le plus rapidement possible à l'aide de la carte et de la boussole.

Le traceur choisit sur une carte un terrain approprié pour ce genre de course, c'est-à-dire avec plusieurs points de repère naturels ou artificiels parfaitement visibles. Il sélectionne ensuite cinq à douze de ces points de repère suivant leur degré de difficulté et en variant les distances entre les postes de trois cents à quinze cents pieds (100 à 500 m). Le parcours total, plus ou moins circulaire, sera d'un mille et demi à deux milles et demi (2½ à 4 km) de long pour les juniors et les débutants, et jusqu'à huit à dix milles (12 à 16 km) pour les coureurs d'élite. Celui qui trace le parcours va de postes en postes sur le terrain et détermine la position exacte de chaque poste sur sa carte de travail. Ensuite, il relie les postes un à un, suivant la longueur de la course désirée. Il doit veiller au moment de ce choix de postes à ce que le coureur ait une

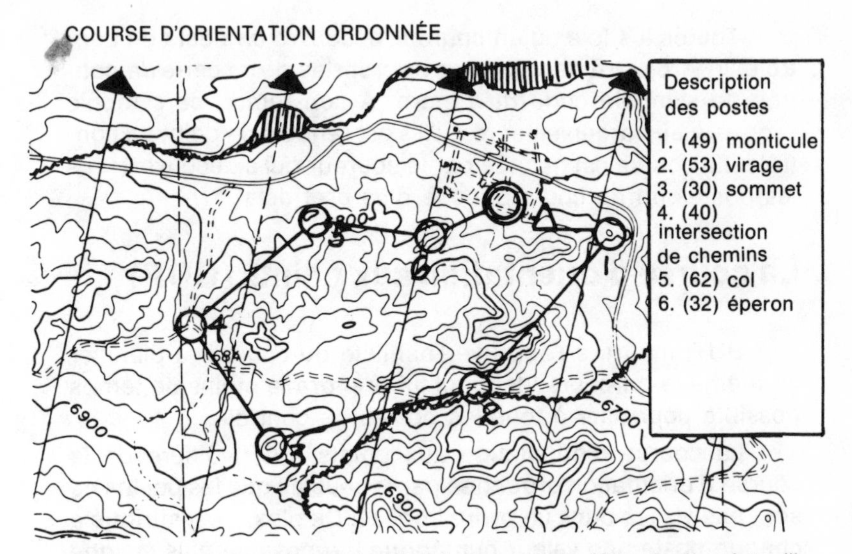

Dans la course d'orientation ordonnée, chaque coureur détermine le trajet qu'il désire suivre pour se rendre aux postes de contrôle représentés sur la carte.

multitude de choix d'itinéraires. Après cela, il doit se préoccuper de la reproduction des cartes pour les participants et préparer les cartes de base, ainsi que la liste des postes qui décrit chaque poste (ex: croisement de sentiers, falaises, etc.). Quelques heures avant la course, il place les balises ou repères à leur emplacement respectif sur le terrain, tel qu'indiqué sur la carte de base.

Avant de prendre le départ, chaque participant se munit de la carte du terrain et de la liste descriptive des postes. Les départs se suivent à un intervalle d'une ou deux minutes.

Pour un championnat, les points de contrôle sont imprimés sur la carte,mais pour une compétition normale le concurrent doit, après le départ, se rendre à un endroit où se trouve la carte de base. Il recopie sur sa *carte vierge* tous les points de contrôle qui forment son parcours. Le coureur essaie ensuite de repérer tous les postes dans l'ordre prescrit,mais en choisissant son itinéraire entre les postes.

Toutes les fois qu'un coureur découvre un poste de contrôle, il enregistre dans la case appropriée de sa carte de contrôle le symbole codé du repère. A son retour, ce symbole prouvera aux organisateurs qu'il s'est rendu à ce point de contrôle. La course est gagnée par le coureur qui a découvert tous les postes du parcours dans le plus bref délai.

La course d'orientation aux points (COP)

BUT: mettre à l'épreuve l'habileté du coureur à planifier lui-même le parcours idéal qui lui prendra le moins de temps possible pour aller à tous les postes de contrôle.

La course d'orientation aux points (COP) diffère de la course d'orientation ordonnée par le seul fait que les postes ne sont pas visités dans un ordre imposé. De plus, il est attribué à chaque poste une valeur numérique. Le poste le plus éloigné du point de départ, ou le plus difficile à trouver, a la plus grande valeur (30 à 50 points). Ceux qui sont proches du point de départ et faciles à trouver peuvent être évalués entre cinq et quinze points.

Celui qui trace le parcours fait les mêmes préparatifs que pour une course d'orientation ordonnée. Il choisit des emplacements de contrôle et les encercle sur sa carte de base, mais dans ce cas les postes sont déterminés au hasard, dans un rayon d'un mille (1,5 km) autour du point de départ et d'arrivée. Le nombre de postes va de 12 à 30, de telle sorte qu'aucun participant ne peut les repérer tous dans un temps limité, disons 90 minutes. Celui qui trace le parcours attribue une valeur numérique et un numéro de contrôle à chaque poste. Pour finir, il prépare la liste de description des points avec leur numéro et leur valeur.

Quinze minutes avant le départ, chaque concurrent est muni d'une carte de la région et de la liste descriptive des postes à trouver avec leur valeur numérique. Le participant se rend ensuite à la carte-modèle; il lui est accordé 15 minutes pour recopier les emplacements des postes sur sa propre car-

COURSE D'ORIENTATION AUX POINTS

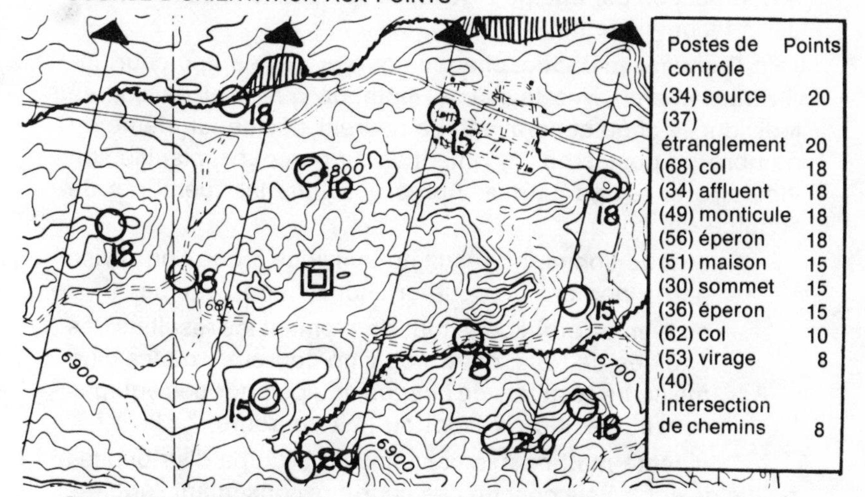

Dans la course d'orientation aux points, le coureur s'efforce de gagner le plus de points possible en allant vers les postes de contrôle qui représentent le plus grand nombre de points.

te. Dans ce même laps de temps, il doit également décider du nombre de postes qu'il entend visiter et de l'ordre dans lequel il compte les découvrir. Au bout de quinze minutes, le coureur part.

L'objectif est donc d'accumuler le plus de points possible, sans dépasser le temps limité. Le coureur court de poste en poste en essayant d'en faire le plus possible et écrit sur sa carte de contrôle les symboles codés de chaque point pour prouver son passage. S'il dépasse le temps limité, il est pénalisé d'un certain nombre de points qui sont soustraits de son total (peut-être un point pour chaque dix secondes de retard ou six points par minute). Un coureur qui franchit la ligne d'arrivée cinq minutes en retard se verra soustraire trente points de son total accumulé. Le gagnant est celui qui a le plus grand nombre de points, les points de pénalisation ayant été soustraits, bien entendu.

Compétition par équipes

La course d'orientation aux points (COP) s'adapte bien à

la compétition par équipes. De telles compétitions se déroulent de la façon suivante:

Première méthode: chaque coureur de l'équipe court individuellement, avec la même méthode que pour la course individuelle citée auparavant. Le coureur décide lui-même du nombre de postes qu'il a l'intention de parcourir, planifie son itinéraire et fait sa course. Après que tous les membres de l'équipe ont couru:

— on additionne les résultats individuels que l'on divise par le nombre de coureurs constituant l'équipe,
— ou bien on additionne tout simplement les résultats des équipes de trois, quatre ou cinq coureurs, ou les cinq meilleurs résultats de chaque équipe pour des équipes constituées de six, sept ou huit coureurs.

Deuxième méthode: le capitaine de l'équipe distribue les points de contrôle à chacun des coureurs constituant l'équipe. Le meilleur coureur se verra peut-être attribuer les postes les plus éloignés et les plus difficiles à trouver. Les moins expérimentés prendront les plus faciles et les plus proches. A l'arrivée on additionne tous les résultats individuels de l'équipe.

La course d'orientation à relais (COR)

BUT: former un esprit d'équipe et favoriser l'entraînement individuel des membres aux techniques de course d'orientation.

La course d'orientation à relais est ni plus ni moins une course d'orientation ordonnée (COO) collective. Comme dans les autres types de course d'orientation, celui qui trace le parcours débute son travail en choisissant un terrain approprié sur une carte. Il décide de la zone centrale (départ, zone de passage et arrivée au même endroit). Il sélectionne ensuite le nombre de postes de contrôle. L'emplacement et la combinaison de ces postes dépendront du nombre de coureurs dans chaque équipe. S'il y a trois coureurs par équipe, le tracé peut

COURSE D'ORIENTATION À RELAIS

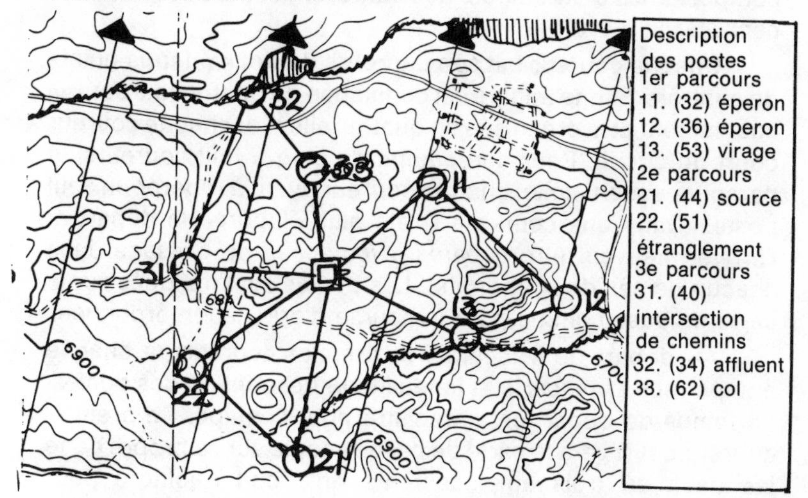

La course d'orientation à relais est une compétition dans laquelle les membres de l'équipe suivent plusieurs parcours simples répartis autour d'un point central.

La course d'orientation à relais peut comporter différentes formes de parcours suivant le nombre de coureurs.

comporter trois parcours placés en éventail autour de la zone centrale.

Chaque coureur fait son parcours de deux ou trois points de contrôle. Si une équipe est constituée de quatre coureurs, la course peut être organisée en quatre "ailes" et chaque coureur court un circuit. Pour une équipe de cinq à huit coureurs, le parcours est en étoile, chaque coureur ayant à repérer un seul poste. (Dans une course à relais plus élaborée le départ et l'arrivée peuvent être séparés, avec zones de passage dans chacun de ces deux endroits). Les postes sont indiqués sur la carte de base comme pour la course d'orientation ordonnée.

Au départ de la course, le premier coureur de chaque équipe reçoit une carte et la feuille de description des postes. Le temps de départ est enregistré pour l'équipe. Ce premier coureur court vers la carte de base et copie sur sa propre carte les deux ou trois emplacements qu'il doit rejoindre pour accomplir son parcours. Il fait son parcours en prenant bien soin de relever les symboles qui prouvent son passage à chaque poste. Quand ce premier coureur a fini son parcours, il donne la carte géographique et sa carte de contrôle au coureur suivant qui part à son tour. Quand le dernier coureur revient, le temps s'arrête et la performance de l'équipe est enregistrée.

La course est gagnée par l'équipe qui a visité tous les postes dans un minimum de temps.

Pour les promeneurs

BUT: permettre à ceux qui ne désirent pas concourir de goûter aux plaisirs d'une sortie en plein-air par le biais de la course d'orientation durant leurs moments de loisirs.

Lors d'une rencontre en course d'orientation, les organisateurs peuvent offrir un parcours très facile ou une course spéciale pour les enfants et les personnes âgées qui désirent marcher plutôt que courir, parce qu'ils ne sont pas intéressés à la compétition ou à cause de leur manque de connaissances en orientation. Cette forme de course d'orientation simplifiée est particulièrement recommandée pour les familles et les enfants. Elle offre au participant un nouveau défi à relever et lui procure beaucoup de satisfaction à mesure qu'il découvre les postes de contrôle.

Les participants qui goûtent à ce genre de passe-temps qu'est la randonnée pédestre sont munis d'une carte-modèle de la région avec parcours et points de contrôle imprimés. Ils exécutent le même parcours à leur propre rythme de marche, s'arrêtant dans un endroit plaisant comme bon leur semble. S'ils le désirent, ils peuvent également combiner leur randonnée avec des études de plantes ou d'oiseaux ou d'autres types de recherches sur la nature.

Certains marcheurs préféreront toujours cette forme d'orientation, tandis que d'autres désireront, au bout d'un certain temps, participer à une course d'orientation de compétition.

LES VARIANTES DE LA COURSE D'ORIENTATION DIRIGÉE (COD)

La course d'orientation dirigée est une course plus facile que la course d'orientation ordonnée. Elle est utilisée essentiellement pour l'entraînement et la formation pédagogique.

Les deux principales sortes de courses d'orientation dirigée sont la *course d'orientation non balisée (CNB)* et *la course d'orientation balisée (COB).* Dans la course d'orientation non-balisée, le coureur suit le trajet dessiné sur la carte-modèle par un trait plein. Dans la course d'orientation balisée, le coureur doit inscrire sur sa carte l'endroit où il découvre des postes de contrôle. Son trajet est signalé par des rubans accrochés aux arbres.

La course d'orientation dirigée (COD) peut également être utilisée pour pratiquer certaines activités en pleine nature qui n'ont pas forcément de relation avec la carte et la boussole (ex: ski de fond, raquette, etc.).

La course d'orientation non-balisée (CNB)

BUT: épreuves d'habileté à suivre un trajet indiqué sur une carte-modèle, à l'aide d'une carte et d'une boussole.

Celui qui trace le parcours procède de la même manière que pour une course d'orientation libre. Il choisit un bon terrain d'orientation et sélectionne de cinq à douze points de contrôle disposés en cercle sur une distance totale ne dépassant pas deux à quatre milles (3 à 6 km). Il se rend à chaque point de contrôle pour en déterminer l'emplacement exact sur la carte et pose une balise numérotée. La différence avec la course d'orientation libre, c'est qu'il trace sur la carte l'itinéraire qu'il désire que le coureur suive pour se rendre de poste en poste tout au long du parcours. Certain itinéraires suivent des sentiers, des routes, des ruisseaux et ne requièrent que l'utilisation de la carte, d'autres mènent à travers champs et bois, et nécessitent l'utilisation de la boussole.

Au départ, le coureur reçoit la carte de la région et se dirige ensuite vers l'endroit où se trouve la carte-modèle. Les intervalles de départ doivent être de préférence très distancés afin d'éviter qu'un coureur en suive un autre. Il est recommandé de prévoir un délai de 3, 4 ou 5 minutes, selon le nombre total de concurrents. A partir de la carte-modèle, le coureur copie sur sa propre carte le chemin à suivre, soit avec la carte ou avec la boussole. Si son cheminement est précis, il passera par tous les postes dans l'ordre sans aucune difficulté. Sa tâche est maintenant d'encercler sur sa carte l'endroit où il a trouvé la balise sur le terrain. Il écrit également le symbole codé qui est sur cette même balise.

Normalement on ne chronomètre pas ce genre d'épreuves, mais un temps limité pour compléter le parcours pourra être annoncé à l'avance.

Le gagnant est celui qui a trouvé la plupart des postes et qui les a encerclés correctement sur sa carte.

COURSE D'ORIENTATION NON-BALISÉE

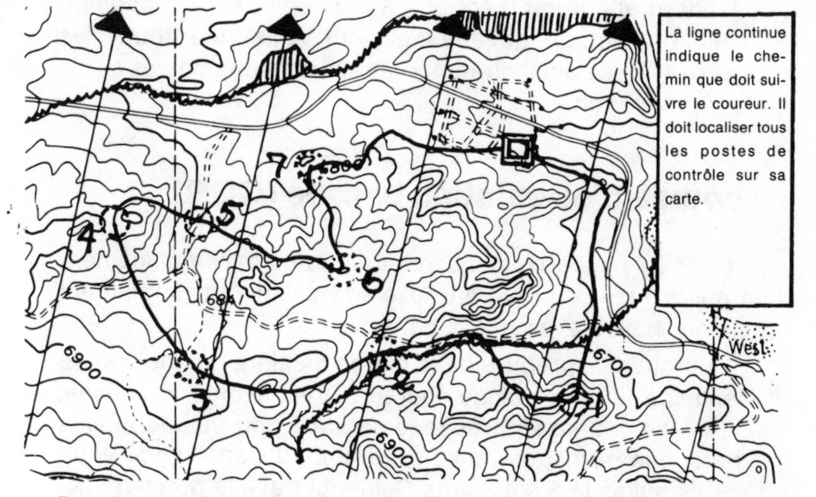

Dans la course d'orientation non-balisée, le coureur suit le parcours imprimé sur la carte-modèle.

La course d'orientation avec tâches (COT)

BUT: mettre à épreuve l'habileté à suivre un chemin indiqué sur une carte avec, en plus, des tâches pratiques à effectuer à chaque poste de contrôle.

L'itinéraire est dressé de la même manière que pour un parcours non-balisé. Le jour de l'épreuve, on retrouve à chaque poste de contrôle une consigne indiquant la tâche à réaliser avant de quitter ce poste. Cette tâche fait partie du résultat de la course. Les tâches à exécuter peuvent avoir rapport à la course d'orientation, au camping ou à des aptitudes quelconques: allumer un feu avec seulement deux allumettes, ramasser une feuille de chacun des dix arbres entourant le poste de contrôle, construire un petit pont et traverser le ruisseau, etc. Les participants peuvent être seuls, en petit groupe ou en grand groupe, comme par exemple une patrouille de Scouts. Ils procèdent de la même manière que pour la course d'orientation non-balisée sauf qu'ils doivent en plus effectuer une tâche pratique ou théorique à chaque poste. Le gagnant est celui, ou l'équipe, qui a le meilleur résultat pour toutes les tâches exécutées ainsi que pour le repérage des postes sur la carte d'orientation.

La course d'orientation balisée (COB)

BUT: être capable d'encercler sur la carte l'emplacement d'un poste que le coureur a trouvé en suivant tout simplement un sentier balisé avec des rubans.

L'épreuve se prépare de la même manière qu'une course d'orientation libre et qu'une course d'orientation non-balisée. Ce genre de course est très recommandé pour les débutants car personne ne risque de se perdre! La distance varie entre un à trois milles (1,5 à 4,5 km). Celui qui trace le parcours accroche sur son passage des rubans de plastique ou des chiffons autour des arbres, des clôtures et autres objets, de telle sorte que d'un jalon on puisse voir le suivant. Le circuit suivra de préférence des sentiers, des fossés, des coteaux et autres repères distincts. Les balises devraient être placées à des intervalles de 800 à 1 200 pieds (200 à 600 m).

Au point de départ les coureurs sont munis de la carte de la région et prennent la route toutes les une ou deux minutes. Ils suivent les fanions très distincts du trajet. Le rôle du participant est de suivre sur sa carte son propre cheminement afin de savoir où il est à chaque moment de son parcours. Quand il découvre une balise d'orientation, il encercle son emplacement sur sa carte. Une erreur d'encerclement d'un seizième de pouce (2 mm) lui enlève deux points sur un total de 100 points pour tous les postes de contrôle exactement placés. On peut tenir compte du temps de la course dans les cas où il y a deux gagnants à départager. On peut aussi transposer les points de pénalité en minutes. Pour chaque erreur d'un seizième de pouce (2 mm), 2 minutes en plus. On peut aussi demander au coureur de tracer sur sa carte tout son parcours.

La course d'orientation en skis (COS)

BUT: pour ajouter du piquant à la pratique du ski de fond.

Le parcours se prépare de la même façon que pour la course d'orientation pédestre. Les *courses d'orientation en skis (COS)* les plus simples à organiser sont la course d'orientation non-balisée (CNB) et la course d'orientation balisée (COB). Mais elles exigent tout de même quelques préparatifs spéciaux.

Le terrain de course d'orientation en skis (COS) est différent du terrain de course d'orientation pédestre. Le terrain idéal est une zone de terres cultivées avec de nombreux sentiers et chemins. C'est là la principale difficulté pour réaliser un bon parcours, mais s'il n'y a pas assez de sentiers ou de chemins, l'organisateur de la course peut en ajouter avec l'aide d'une moto-neige ou d'une équipe de 5 à 6 skieurs qui tracent des pistes. Toutes ces traces et sentiers fraîchement réalisés doivent être reportés attentivement sur la carte de course. Considérant le terrain, les conditions de la neige et l'habileté des skieurs, la course peut avoir entre trois à dix milles (4 à 15 km) de long. Les postes seront nombreux et faciles à trouver pour le skieur qui s'en approche. Le principe de base de ce type de compétition est le choix d'un bon trajet et non la difficulté à trouver les balises. Les postes seront placés à des endroits parfaitement visibles ou proches d'un sentier ou d'un chemin.

Au départ, les skieurs sont munis d'une carte de la région avec le parcours imprimé. Ils partent à intervalles de 2 à 3 minutes. Comme dans la course d'orientation pédestre, le rôle de chaque skieur est de suivre le tracé de la course, d'indiquer sur la carte les postes découverts et de finir dans le temps imposé.

Le gagnant est celui qui a bien replacé sur la carte tous les postes de contrôle et fini dans le minimum de temps. Si le skieur fait une erreur d'emplacement sur sa carte, il peut être disqualifié ou pénalisé par l'addition de 10 à 20 minutes par erreur (suivant le degré de difficulté et la longueur du parcours). Les skieurs qui ont bien localisé tous les postes de contrôle sans erreur ont priorité au classement final. Le temps n'intervient qu'en second lieu.

AUTRES VARIANTES

Parmi toutes les épreuves de course d'orientation citées auparavant, il y en a qui peuvent être adaptées à d'autres moyens de locomotion en pleine nature, canoë, bicyclette ou cheval, vous n'avez qu'à laisser parler votre imagination.

VOTRE PREMIÈRE COURSE D'ORIENTATION

Après avoir été intéressé par une approche individuelle à la course d'orientation, seul ou avec un ami, le jour viendra où vous voudrez tenter la vraie compétition. Si vous en avez vraiment envie, nous sommes certains qu'il y a un club de course d'orientation proche de chez vous. Sinon, adressez-vous à votre Fédération nationale qui se fera un plaisir de vous renseigner sur l'existence d'un club dans votre région ou qui vous donnera des suggestions pour en fonder un. Sachez que ce sport est nouveau sur notre continent et qu'un club sera considéré comme "local" pour vous si son bureau central est entre trente à cinquante milles (50 à 80 km) de chez vous. C'est la distance que vous pouvez avoir à parcourir de toute manière pour vous rendre à un bon terrain de course d'orientation. S'il y a un club proche, informez-vous du programme des activités. Peu de temps après, vous recevrez le journal du club avec le calendrier des compétitions. Lisez-le attentivement et notez les compétitions spéciales qui s'en viennent; elles seront probablement annoncées comme suit (page 163, en haut).

Le club offre trois courses de différents niveaux: une *blanche* pour les débutants, une *jaune* pour les amateurs intermédiaires et une *rouge* pour les experts. Il y a un début à tout en course d'orientation, aussi vous prendrez la course *blanche.*

Samedi, 15 septembre — Course d'orientation ordonnée pour tous les membres et non-membres.

LIEU: La réserve de Pound Ridge. Nous vous ferons connaître le point de départ une semaine avant la course.

COURSES: blanche — environ 1 à 2 milles (1,5 à 3 km), pour débutants.
jaune — environ 2 à 3 milles (3 à 5 km), pour coureurs moyens.
rouge — environ 4 à 6 milles (6,5 à 9,5 km), pour experts.

PREMIER DÉPART: 10h 30

PRIX: moins de douze ans — $1.00
adultes — $2.00

INSCRIPTIONS AVANT LE 5 SEPTEMBRE 1977.

Troisième championnat du club de course d'orientation "Les coureurs des bois"

DATE: samedi, 15 septembre, à 10h 30.

LIEU DE RENCONTRE: entrer par la barrière nord. Tourner à droite au chemin de terre. Stationnez dans les espaces réservés et se rendre à la zone d'accueil.

HABILLEMENT: pantalons recommandés.Broussailles et herbe à puces à redouter. Si vous préférez les culottes courtes, portez des chaussettes hautes.

ÉQUIPEMENT: un crayon, une boussole, un protège-carte, une montre-bracelet et un casse-croûte.

DÉPART: votre départ aura lieu à 11h 02. Vous devez vous rendre au bureau d'inscription au moins 20 minutes avant votre départ.

NOTE: Les repas sont autorisés sur le terrain.
Défense de fumer.
Défense de traverser les surfaces cultivées.

Marcel Cyr
Sécrétaire

Quelques jours plus tard vous recevrez une carte de convocation de la part du club comprenant les informations de base (page 163, en bas).

Comme équipement, vous vous accomoderez d'une paire de vieux pantalons et d'un gilet à manches longues. Vous mettrez vos bons souliers de marche; vous n'êtes pas expert mais vous ne voulez pas non plus être loin derrière. Le matériel est simple: vous apportez votre boussole, votre montre, vous prenez dans votre placard de cuisine un sac en plastique qui vous servira à protéger votre carte en cas de pluie et enfin, un bon crayon à bille rouge. Prenez le temps de vous faire un petit casse-croûte le matin de votre départ pour la journée.

Le départ

Le grand jour arrive. Vous vous rendez à destination et marchez jusqu'au lieu de rassemblement. Un grand nombre d'amateurs d'orientation sont là, quelques-uns en tenue spéciale de course d'orientation, d'autres en tenue de marcheur ou en tenue de "coureur des bois". Vous vous approchez de la table d'inscription et les responsables vous donnent votre carte de contrôle avec votre nom et votre temps de départ (voir page 213). Vous êtes prévenu qu'on vous appellera trois(3)minutes avant votre départ. Parfois, vous recevrez un dossard avec votre numéro de coureur, ceci afin de reconnaître votre classement au début et à la fin de la course.

Vous quittez la table; l'activité commence. Certains participants se rendent à la ligne de départ. Ce club a dressé un carré en cordage quadrillé de neuf pieds sur neuf pieds (3m sur 3m). Chaque carreau a trois pieds (1 m) de côté.

Vous entendez un coup de sifflet; les trois premiers coureurs partent. Tous avancent d'un rang, et la dernière rangée est complétée par trois nouveaux participants. Il est 10h 59. Trois minutes avant votre départ, le *placeur* appelle trois numéros, dont le vôtre. Vous vous tenez proche du dernier carré de la dernière rangée, puis vous pénétrez à l'intérieur du carré. Votre regard est attiré par les cartes de contrôle de

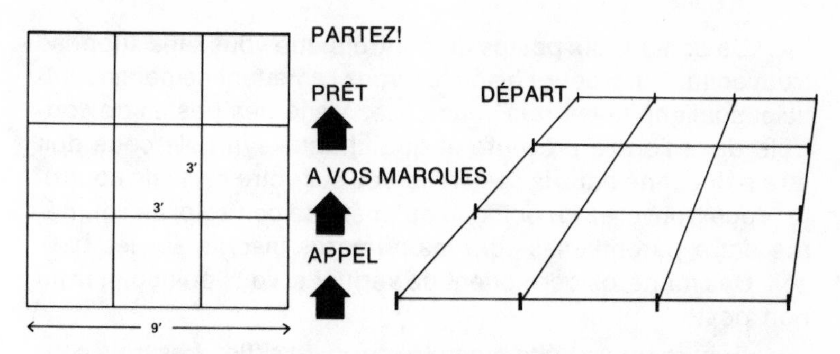

La zone de départ normale est de 9 pieds sur 9 pieds (3 m sur 3 m) divisés en carrés de 3 pieds (1 m) de côté. Les coureurs y avancent en ligne, trois par trois.

vos deux voisins. L'une est rouge, le coureur a signé pour un parcours *rouge,* l'autre est jaune, pour une course *jaune.*

Une minute passe. Il y a un autre coup de sifflet et la première rangée de trois coureurs s'élance. Vous et vos deux voisins passez dans la rangée de préparation au départ. On vous remet alors un bout de papier sur lequel est inscrit votre parcours; c'est le feuillet de description des postes.

Club d'orientation "Les coureurs des bois"

Course d'orientation du 15 septembre

Fiche de description des postes pour la course blanche

6 postes: 2 milles (3,2 km)

1. (49) monticule
2. (53) virage
3. (30) sommet
4. (40) intersection de chemins
5. (62) col
6. (32) éperon

Azimut de sécurité: 360° nord.

Ce sont les six postes de contrôle que vous êtes supposé trouver sur le parcours *blanc.* En vous remettant ce papier, l'officiel souligne le fait que vous devez visiter les postes de contrôle dans l'ordre présenté et que chaque symbole codé doit être poinçonné dans la case réservée sur votre carte de contrôle. Vous trouverez un poinçon au poste de contrôle. Les numéros entre parenthèses sont les numéros inscrits sur les balises. Ces numéros permettent de vérifier si vous poinçonnez au bon poste.

Encore une minute, un autre coup de sifflet. Les trois coureurs de la première rangée s'élancent et vous vous retrouvez dans la ligne de départ. Ici vous recevez une carte du terrain où est imprimé le parcours *blanc.* (Vous trouverez un exemple de cette carte à la page151).Vous jetez un coup d'oeil rapide: l'échelle est d'un pouce pour mille pieds, la distance entre les courbes de niveau est de vingt pieds. Les lignes de déclinaison magnétique nord-sud sont imprimées sur la carte, vous n'aurez pas à les tracer vous-même. Votre voisin vous suggère de marquer d'une flèche rouge l'extrémité nord des lignes de déclinaison magnétique afin de vous orienter plus facilement.

La dernière minute prend fin. Vous entendez le coup de sifflet annonçant votre départ.

La carte de base

Tout de suite après le départ vous n'avez pas à vous servir de la carte et de la boussole. En effet, des rubans colorés vous conduisent à la carte-modèle, le véritable point de départ de votre course. Vous devez suivre les rubans blancs qui vous conduiront à votre carte-modèle blanche. Ces cartes-modèles, une ou plusieurs par catégorie, sont collées sur une planche, elle-même posée sur le sol. L'exemple d'une carte-modèle vous est donné à la page151.

Sur cette carte-modèle est imprimé un triangle; c'est l'endroit où vous vous trouvez actuellement. Chaque poste de contrôle que vous avez à visiter est encerclé à l'encre rouge. Ces mêmes cercles sont numérotés dans l'ordre où ils doivent

Le départ excitant d'une course d'orientation. Trois coureurs viennent de sortir du troisième carré pour s'élancer vers la carte-modèle.

être découverts et sont reliés entre eux par un trait rouge également.

Dans l'immédiat, vous devez copier les cercles, les relier les uns aux autres et les numéroter avec la plus grande précision possible. Cette précision est capitale si vous voulez être sûr de l'emplacement des postes de contrôle.

Quand vous avez fini cette reproduction, vous glissez votre carte et votre feuillet de description des postes dans l'enveloppe en plastique que vous avez apportée.

La course

Dorénavant vous êtes prêt pour parcourir la première distance qui sépare l'endroit où est la carte-modèle (un triangle sur la carte) du poste "1 (49) monticule". C'est un point facile; il n'est pas trop loin et c'est une petite élévation parallèle et proche de la route.

Une balise rouge et blanche est accrochée à l'emplacement de chaque poste. Un poinçon est attaché à la balise pour contrôler le passage du coureur au poste.

Vous orientez votre carte pour commencer afin de bien vous situer sur le terrain et sur la carte. Un petit coup d'oeil autour de vous, vous réglez votre boussole et en avant! Vous voyez la route à gauche presque tout le long du trajet. C'est un point de repère qui vous met en confiance. Vous apercevez alors une balise rouge et blanche à cinquante pieds (15 m). En approchant, vous vérifiez le numéro qui doit être le même que sur votre feuillet de description. C'est bien la bonne balise. Vous prenez le poinçon attaché au bout d'une petite ficelle et vous poinçonnez la case numéro 1 de votre carte de contrôle.

Passons au point 2. Vous étudiez bien la carte. A vol d'oiseau, en ligne droite, vous auriez à monter et à descendre la colline qui a 7 courbes de niveau indiquant 140 pieds (42 m) de hauteur. Mais vous vous souvenez de ce principe qui dit "qu'il y a toujours un autre chemin". Vous vérifiez cela. En effet, il y a une route à ne pas manquer à l'est. Vous pouvez la suivre vers le sud jusqu'à ce que vous rencontriez la route. Ensuite, vous virez à l'ouest pour tomber en plein sur la deuxième balise: "2 (53) courbe du chemin. Vous partez sans plus tarder. Après avoir atteint la route vous n'avez besoin ni de la carte ni de la boussole. Vous vous rappelez ce que vous avez à faire.

Pour aller de 2 à 3: "3 (30) sommet", vous vous demandez si vous devriez continuer le long de la route et ensuite piquer vers le nord à un moment donné, mais vous remarquez qu'il n'y a pas de point de repère sur votre carte afin de savoir avec précision à quel moment vous devriez dévier vers le nord à partir de la route. Donc, en vous orientant au moyen de la boussole, vous descendez un peu en ligne directe, pour ensuite traverser un petit plateau recouvert de sapins et d'arbres coupés. Vous trouvez le poste, vérifiez son numéro et poinçonnez votre carte.

De 3 à 4: "4 (40) croisement de chemins" vous remarquez qu'en ligne directe, il vous faudra descendre une pente pour ensuite la remonter. Quelle route conviendrait le mieux? Après réflexion vous vous apercevez que le plus simple est d'aller rejoindre le bord de la route vers le sud-ouest, afin de suivre cette route vers l'ouest et ensuite vers le nord jusqu'au croisement. C'est ce trajet que vous suivez. Pas de problème pour trouver la balise numérotée (40).

Pour les deux prochains postes: "5 (62) col", et "6 (32) éperon", vous décidez que la meilleure méthode est d'aller en ligne directe avec la boussole. Vous approchez les postes sans aucune difficulté, malgré une course quelque peu entravée par des étendues de broussailles qui ont brisé votre rythme.

La ligne d'arrivée

Arrivé au poste 6, votre course blanche est presque finie. Il ne vous reste plus qu'à faire une course de vitesse. La route qui mène du dernier point à la ligne d'arrivée est balisée par des rubans colorés. Vous courez en suivant les rubans jusqu'à ce que vous voyiez la banderolle "ARRIVÉE". C'est à ce moment-là que vous courez le plus vite possible pour finir.

La ligne d'arrivée! Les coureurs accélèrent une dernière fois et les spectateurs sont là pour les applaudir.

Vous déposez votre carte de contrôle. Un officiel y inscrit votre temps d'arrivée et calcule le temps écoulé depuis votre départ. Un autre officiel vérifie si votre carte a été poinçonnée dans l'ordre et avec les bons poinçons.

Vous vous rassemblez avec les coureurs qui ont déjà fini leur course. Ils sont entrain de se dire les uns aux autres la façon dont ils ont parcouru les trajets inter-postes.

Le résultat des courses est affiché. Non, vous n'êtes pas premier, mais vous n'êtes pas non plus au bas de la liste. Vous êtes satisfait de vous-même. Vous venez d'avoir votre "baptême" en course d'orientation.

CONSEILS SUR LA COURSE D'ORIENTATION EN COMPÉTITION

Si vous adoptez la course d'orientation en compétition et que vous participez à des courses de plus en plus difficiles, vous découvrirez un grand nombre de techniques spéciales que les champions utilisent pour gagner. En plus de l'amélioration de vos capacités de coureur, ces techniques comprennent le choix du trajet le plus efficace et son exécution précise.

Choix de l'itinéraire

Votre choix d'itinéraire débute au moment où vous êtes en train de tracer l'emplacement des postes et leur liaison sur votre carte à l'aide de la carte-modèle. Vous vous faites alors une représentation mentale de la course avec une vue générale des repères par lesquels vous passerez et vous imaginez déjà votre parcours.

Il vous faut déterminer la route la plus rapide à suivre d'un poste à un autre, une route qui vous mènera directement aux postes de contrôle.

Le choix d'un bon itinéraire peut être décisif pour la victoire ou la défaite. Aussi, pour faire ce choix sans risque d'erreur, vous devrez répondre à ces trois questions importantes:

"De quelle direction vais-je aborder le poste?
Qu'est-ce qui pourrait m'aider à l'atteindre?
Quels obstacles vais-je rencontrer sur ma route?"

Les points d'attaque

Les postes sont rarement placés à des endroits très visibles sur le terrain. Au contraire, celui qui trace le parcours choisira probablement des postes de contrôle qui ne peuvent être découverts que par un coureur très précis en orientation, par exemple des petits monticules, un col entre deux collines, un éperon à flanc de collines ou la source d'un ruisseau.

La question de déterminer la direction d'approche vers le poste sera facilement résolue si vous vous imaginez faisant le parcours à rebours, c'est-à-dire en cherchant dans les environs de ce poste un point de repère marquant qui pourrait vous faciliter son approche.

Les repères qui aident le coureur à atteindre un poste sont appellés dans le jargon des amateurs d'orientation des *points d'attaque*. Un point d'attaque peut être un croisement de route, une jonction de sentiers, un pont, une maison ou autres accidents du terrain représentés sur la carte et faciles à trouver.

Après le choix d'un point d'attaque, votre prochaine étape est de découvrir sur la carte toutes les routes possibles que vous pourriez prendre. Voyez si vous y allez en ligne directe, par la droite ou par la gauche, suivant les obstacles et les points de repère.

Les points de repère

En général, il y a sur la carte un grand nombre de repères que le coureur peut utiliser pour se déplacer rapidement et atteindre les points d'attaque choisis.

Repère parallèle

Un repère parallèle est un élément caractéristique qui suit plus ou moins parallèlement la direction que vous avez l'intention de prendre.

Les routes ou sentiers sont évidemment des repères parallèles, les lignes de transmission électrique ou de téléphone également, de même que les clôtures et les rails de chemin de fer.

Un repère parallèle peut aussi prendre la forme d'une frontière, tels une haie, un éclairci, une crête, une vallée. Un ruisseau rapide constitue un bon guide. Un ruisseau dont l'écoulement est lent n'est pas à recommander, car sa sinuosité peut vous faire dévier de votre route. Parfois, deux sommets de colline à distance et parallèles à la direction où vous voulez aller peuvent aussi servir de repère.

Le soleil est sans aucun doute l'un des repères les plus secourables. Ne le négligez pas comme un indice de direction valable une fois que vous vous êtes fixé une direction. Vous pouvez aussi vous guider à l'aide de votre ombre en terrain découvert. En retenant l'angle de la position de votre ombre au sol, vous créez une aide supplémentaire pour vos déplacements. En pleine forêt, regardez l'angle de l'ombre des arbres.

Gardez bien à l'esprit que la position du soleil est changeante et que vous aurez à vous réajuster par rapport au soleil et aux ombres à mesure que vous avancez, surtout sur de grandes distances.

Repère transversal

Un repère transversal est un élément caractéristique qui croise plus ou moins votre route. Ici également, les routes, les lignes électriques ou téléphoniques vous assisteront, de même que les rivières et les lacs. Lorsque vous savez que vous croiserez immanquablement un de ces éléments qui vous guidera vers un point d'attaque à droite ou à gauche, vous pouvez courir droit devant vous à toute vitesse, avec seulement un petit regard sur la carte de temps en temps.

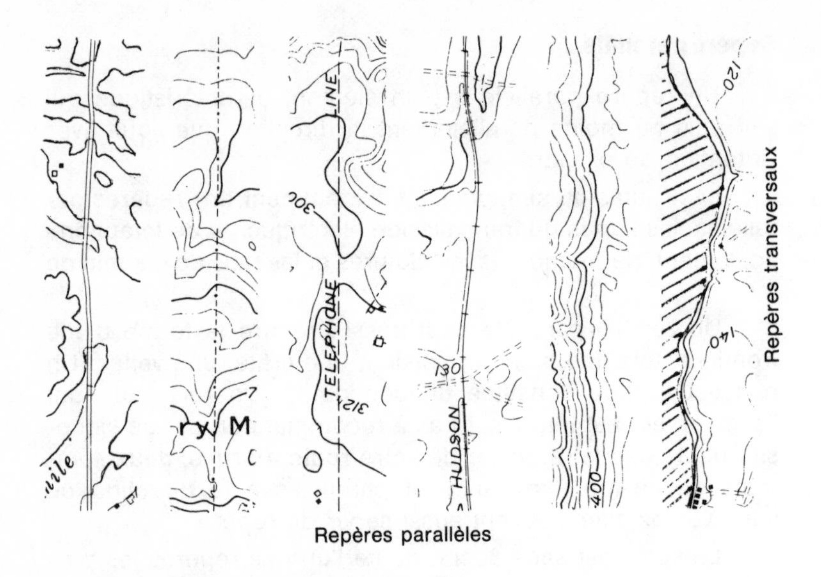

Le repère parallèle est un élément parallèle à la route que vous suivez.

Points de vérification

Pour mettre toutes les chances de votre côté, votre itinéraire doit comporter un nombre raisonnable de points de vérification qui confirmeront l'exactitude de vos déplacements. De tels points seront choisis en fonction de leur facilité de repérage. Ces mêmes points que vous prenez comme points d'attaque à la fin de vos trajets deviendront de bons points de vérification tout au long du trajet. Il en existe aussi bien d'autres: la falaise qui sera à votre droite pour une partie du trajet, l'étang que vous verrez à votre gauche, le virage où vous quitterez la route pour courir en plein champs, l'endroit où la ligne électrique traverse l'autoroute, etc.

Les obstacles

En choisissant un itinéraire, d'un point de contrôle à un autre, vous découvrirez que la ligne la plus courte n'est pas toujours la meilleure pour gagner du temps et de l'énergie. En fait, celui qui trace le parcours aura prévu des obstacles sur votre chemin qui vous forceront à choisir un autre trajet, par exemple collines, vallées, forêts, marécages, lacs, falaises ou carrières. Devant ces obstacles il y a deux solutions possibles: aller tout droit ou faire un détour, choisir entre un trajet court mais difficile ou un trajet plus long mais sans complications.

Escalader ou contourner

Il n'y a rien d'aussi long et éreintant que de grimper une colline ou une montagne plutôt que de courir en terrain plat. Aussi, avant d'escalader, vérifiez l'élévation de l'obstacle qui est devant vous et décidez s'il ne vaudrait pas mieux le contourner.

Les champions en course d'orientation disent que pour chaque 20 pieds (6 m) qu'ils ont à escalader, ils dépensent la même énergie et le même temps que pour courir 250 pieds (75 m), en plus de la distance en ligne droite pour franchir l'obstacle. Supposons un trajet de 80 pieds (25 m) en montée, sur une distance horizontale de 300 pieds (90 m). Si pour 20 pieds (6 m) en montée le coureur parcourt 250 pieds (75 m) en terrain plat, en plus de la distance en ligne droite pour franchir l'obstacle, nous aurons ici 250 pieds (75 m) multiplié par quatre (80 pieds ou 25 mètres en montée) plus 300 pieds (90 m), pour un total de 1 300 pieds (390 m). On peut en conclure que, dans le cas présent, un détour de moins de 1 000 pieds (300 m) serait avantageux à condition bien sûr que vous puissiez localiser facilement le prochain poste de contrôle de l'autre côté de la colline.

Si vous êtes un bon coureur mais un grimpeur moyen vous devez choisir le détour qui vous permet de courir en terrain plat. Si vous êtes un bon grimpeur vous escaladerez l'obstacle. La plupart des coureurs experts choisiront probablement l'escalade, à moins que le flanc de la colline ou de la montagne soit exceptionnellement escarpé ou que la route qui contourne ne soit pas beaucoup plus longue.

Traverser ou contourner

Il n'y a pas que les élévations qui peuvent entraver votre parcours, la végétation est aussi un élément important. Afin d'éviter une forêt dense, un terrain couvert de ronces, de hautes herbes ou de broussailles, vous étudierez votre carte pour savoir s'il n'existe pas de route ou de sentier qui vous mèneraient plus rapidement à destination.

Ainsi, durant vos séances d'entraînement en course d'orientation, étudiez le temps que vous mettez à courir par exemple 1 000 pieds (300 m) sur des routes ou sur des sentiers et à travers différentes sortes de végétation.

Disons que vous arrivez à peu près aux résultats suivants:

Terrain	Temps pour courir 1 000 pieds (300 m)	Ratio	Distance parcourue en 2 minutes
Routes et sentiers	2 mn	1	1 000 pieds (300 m)
Hautes herbes	4 mn	2	500 pieds (150 m)
Broussailles	6 mn	3	333 pieds (100 m)
Forêt dense ou terrain couvert de ronces	8 mn	4	250 pieds (75 m)

En comparant le temps utilisé pour courir à travers un boisé dense vers votre destination et le temps que cela vous prendrait si vous vous rendiez à votre destination par la route et les sentiers, vous vous apercevrez que pour chaque 250

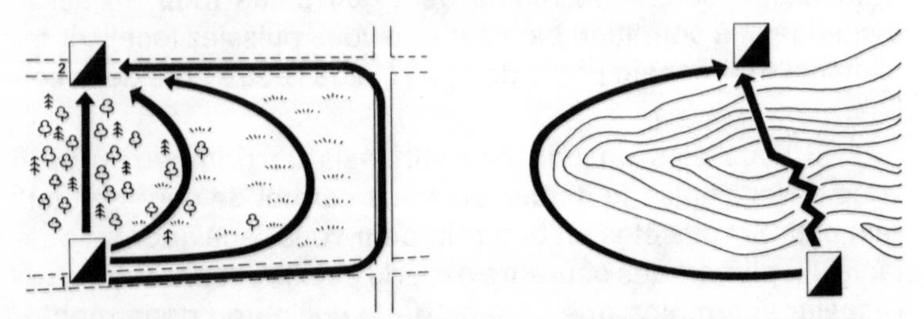

Quand vous arrivez au pied d'une colline, vous devez choisir de l'escalader ou de la contourner; le problème est le même face à une forêt: la traverser ou la contourner.

pieds (75 m) à travers une forêt dense, vous auriez avantage à emprunter la route ou le chemin tant que la distance est inférieure à 4 fois cette longueur, c'est-à-dire moins de 1 000 pieds (300 m). De la même façon, vous épargnerez un tiers de votre temps et de votre énergie à travers les hautes herbes plutôt que sur un terrain broussailleux.

Les déviations obligatoires

Les obstacles qui doivent être contournés inévitablement sont les étangs, les lacs, les terrains boisés et marécageux, les nouvelles plantations et les champs cultivés, et bien sûr les zones interdites sur la carte (propriétés privées).

Si vous pouvez voir de l'autre côté de l'obstacle, choisissez un point de repère important (un gros arbre, un rocher, une cabane) dans la direction du prochain poste de contrôle, duquel vous repartirez après le détour. Si l'obstacle est important et clairement indiqué sur la carte, un lac par exemple, vous vous rendrez à l'une des extrémités et de là vous prendrez un nouvel azimut pour aller à votre destination.

Le choix définitif de l'itinéraire

Avec un point d'attaque convenable, et une connaissance des éléments caractéristiques du paysage et des obstacles qui se dressent devant vous, vous êtes en mesure de bien choisir votre itinéraire.

Pour ne pas vous tromper, vous pouvez tracer sur votre carte une ligne à l'encre rouge représentant votre choix d'itinéraire. Vous suivrez cette route en général, mais conservez assez de souplesse pour modifier votre parcours si nécessaire, selon les imprévus.

Parcours de l'itinéraire

Vous avez décidé du trajet pour vous rendre au prochain poste. Vous voilà en route.

Si vous êtes un golfeur, vous pouvez penser comme si vous étiez dans l'action d'une partie de golf: d'abord, un grand coup de bâton enverra la balle en dehors du terrain de départ dans la meilleure direction possible. Le second envoi visera à rapprocher la balle du trou et finalement, un coup précis enverra la balle dans le trou.

La plupart des experts en orientation adoptent le principe des "feux de circulation". Le principe est le même que pour la conduite d'une voiture. Si la lumière est verte, vous roulez rapidement, à pleine vitesse. La lumière jaune vous indique de ralentir et de faire attention. Quand la lumière est rouge, vous vous rendez à la ligne blanche puis vous vous arrêtez. En utilisant cette méthode vous pouvez juger de la difficulté des diverses étapes du parcours, marquer ces étapes par des segments verts, jaunes ou rouges et régler votre course en conséquence:

Segment vert (course rapide) — C'est la première partie de votre trajet qui vous mène de l'endroit présent vers un point de repère ou un élément caractéristique du paysage en direction de votre prochain point de vérification ou poste de contrôle. Pour couvrir cette partie du trajet vous courez à vitesse maximum.

Segment jaune (course ordinaire) — Vous avez atteint votre point de repère et vous devez découvrir le point d'attaque qui vous permettra de vous rapprocher du poste de contrôle. Vous conservez un bon rythme de course tout en surveillant votre carte et votre boussole, et en calculant la distance parcourue.

Segment rouge (course de précision) — La partie finale du trajet, du point d'attaque au poste, demande une course d'orientation précise: une lecture parfaite de la carte, un déplacement précis à la boussole et une bonne évaluation de la distance.

Il se peut que dans certaines conditions vous ayez à combiner ces trois étapes dans le désordre, mais normalement vous passerez du vert au jaune,puis du jaune au rouge, et le poste de contrôle sera là.

La course rapide (segment vert)

La course d'orientation rapide est celle qui consiste à se déplacer rapidement vers un point de repère facile à trouver. Ce genre de course comprend une lecture rapide de la carte et un réglage rapide de la boussole.

Posez la boussole sur la carte pour l'azimut vers le prochain poste de contrôle ou vers un point d'attaque suivant vos intentions. Avant de retirer la boussole, orientez votre carte en mettant la ligne qui indique la route à suivre dans la bonne direction. Finalement, orientez-vous vous-même dans la direction où vous voulez aller.

Lecture rapide de la boussole

Tenez la boussole à hauteur de la ceinture et tournez sur vous-même jusqu'à ce qu'elle soit orientée, l'aiguille aimantée de la boussole pointant dans le même sens que la flèche fixe gravée au fond du boîtier. Votre boussole est prête à vous guider tout au long d'un chemin en ligne droite.

Levez les yeux et choisissez un point de repère qui est dans le prolongement de votre flèche de direction. Ce point de repère peut être un gros arbre, une grosse pierre, un sommet de colline au loin, une cime d'arbre, un pylône de télévision, etc. Vous courez ensuite à toute vitesse vers votre point de repère et de là, vous prenez un second point de repère. Continuez de courir en surveillant votre boussole une fois de temps en temps, ralentissant juste assez pour que l'aiguille aimantée se stabilise.

Toutes les fois que vous approchez d'un point de vérification, prenez le temps d'orienter votre carte et vérifiez si vous continuez votre trajet tel que planifié ou si vous y apportez un changement. Ensuite, replacez la boussole sur la carte pour un nouvel azimut. Quand vous deviendrez un orienteur expérimenté vous pourrez supprimer cette étape et juger du nouvel azimut simplement en comparant la ligne de parcours avec les lignes parallèles nord-sud sur la carte. Vous tournez le boîtier au nombre de degrés voulu, vous vous orientez dans la bonne direction et vous courez une nouvelle longueur.

Lecture rapide de la carte

Durant la course avec la boussole, surveillez votre carte de temps en temps pour être certain que ce qui vous entoure correspond à ce qui est décrit sur la carte et pour vous assurer de la présence de vos points de vérification: que la falaise qui est supposée être à droite et le lac à gauche sont actuellement là et que vous les dépassez comme prévu.

Vous saurez toujours exactement où vous êtes si vous gardez la carte orientée en vérifiant souvent et en utilisant le compas au besoin, et si vous suivez votre route sur la carte avec votre doigt.

Pour garder votre carte orientée, vous devez la changer de position dans votre main chaque fois que vous changez de direction tout au long du trajet. Si vous vous dirigez vers le nord, le texte de la carte sera à l'endroit. Si vous courez vers le sud, le texte sera à l'envers. Si c'est vers l'ouest ou vers l'est, le texte sera aligné dans la direction vers laquelle vous vous dirigez. Prenez l'habitude de toujours garder la carte orientée au moment de la lire, sans tenir compte du texte.

Pour une lecture rapide de la carte, ne vous occupez pas des détails. Ayez une idée générale de l'environnement, vous attardant surtout aux points de repère. Suivez la route que vous vous êtes tracée et changez seulement si des obstacles particuliers ou des situations imprévues surviennent.

Les écartements

Les postes de contrôle sont souvent placés dans le voisinage de la rencontre de deux points de repère. Ils peuvent être situés par exemple à la jonction de deux cours d'eau ou d'un sentier avec une route. Dans de tels cas, le point de jonction devient un point d'attaque sûr, mais pour le trouver vous devez savoir où se fait la jonction entre les deux repères.

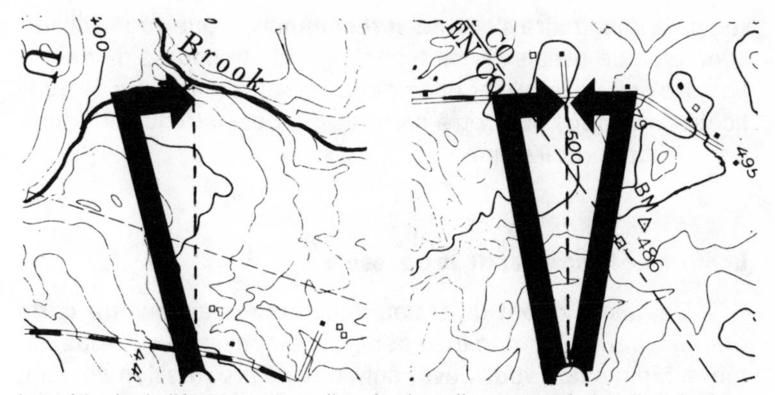

La méthode de l'écartement: au lieu de viser directement la jonction de deux cours d'eau ou de deux routes, visez en amont du ruisseau pour descendre son cours jusqu'à la jonction ou, dans le cas de routes , visez à droite ou à gauche du lieu de jonction, pour diminuer les risques d'erreur.

Pour être sûr de votre coup, vous utilisez la méthode de l'écartement: au lieu de viser directement vers le lieu de jonction, vous réglez votre boussole sur un point situé à 100 ou 200 pieds (30 ou 60 m) à droite ou à gauche de ce lieu, selon les caractéristiques du lieu de jonction et la distance qui vous en sépare. Pour de grandes distances, il est prudent de prendre un plus grand écart.

Dans le cas de la jonction de cours d'eau, visez légèrement vers le haut du ruisseau. Ainsi, quand vous l'aurez atteint, vous saurez que vous avez à courir en descendant le courant pour trouver la jonction et le poste de contrôle. Dans le cas d'intersections de routes, vous devez viser à droite ou à gauche de la route que vous désirez rejoindre: vous trouverez l'intersection en allant vers la droite si vous avez visé à gauche ou vers la gauche si vous avez visé à droite.

La course ordinaire (segment jaune)

Après avoir franchi à toute vitesse la distance représentée par le segment vert de votre itinéraire, vous vous approchez d'un point où vous réalisez qu'il faut être prudent. Une lumière jaune imaginaire s'allume et recommande que vous utilisiez avec plus de précision les techniques de la course d'orientation. Il s'agit de localiser et de dépasser tous les points de vérification indiqués sur votre carte et qui doivent vous conduire dans la bonne direction.

Lecture de la carte et de la boussole

Depuis le début du trajet, vous courez avec votre carte orientée pour avoir une idée générale du paysage qui vous entoure. Maintenant vous devez suivre votre progression de point de vérification en point de vérification avec une plus grande prudence.

Pliez votre carte de façon à ne voir que votre trajet immédiat. Placez votre pouce sur la carte, votre ongle posé à l'endroit très précis où vous êtes maintenant. Au fur et à mesure que vous avancez, surveillez chaque élément qui défile sur votre trajet en suivant sur votre carte. Cette méthode de "lecture de carte à l'aide du pouce" est la plus efficace. Elle permet une analyse approfondie du terrain et réduit les risques d'erreur.

Pour gagner du temps, des orienteurs combinent la lecture de carte à l'aide du pouce et l'utilisation de la boussole. Une fois la boussole réglée pour l'azimut approprié, ils prennent la boussole et la carte dans la même main, les tenant fermement ensemble.

Le bord de la boussole est accolé au trajet sur la carte, la flèche de direction pointant vers l'avant. Ils gardent ensuite la carte et la boussole orientées en replaçant toujours la partie nord de l'aiguille dans la direction du nord du boîtier de la boussole. Ainsi, le coin gauche ou droit de la boussole remplace le pouce et la lecture de carte à l'aide du pouce devient "lecture de carte avec le coin de la boussole". Au fur et à mesure que vous avancez, glissez la boussole sur la carte en conservant le coin de la plaque à l'endroit où vous êtes. Quand vous changez de direction, déplacez tout simplement la bous-

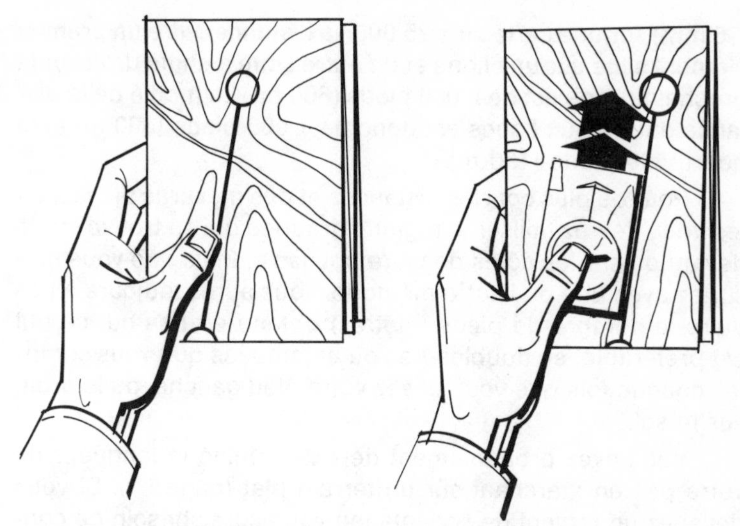

Lecture de la carte avec le pouce ou avec le coin de la boussole.

sole et replacez le boîtier dans le sens des lignes de déclinaison magnétique.

Une fois la boussole réglée, suivez la direction en visant des repères. Dans la course rapide (segment vert) vous pouviez surveiller la direction sur la boussole tout en courant, mais dans la course ordinaire, vous devez vous arrêter pour permettre à l'aiguille de bien se stabiliser, afin de suivre une orientation précise.

Les enjambées

Sur le parcours marqué d'un segment jaune, la distance entre les points de repère peut devenir incertaine à cause de trop ou trop peu de détails. Vous devrez alors mesurer les distances sur la carte et les mesurer sur le terrain en comptant vos pas.

Avec l'habitude vous apprendrez rapidement à évaluer les longues distances sur le terrain. Si vous avez tracé les lignes de déclinaison magnétique à des intervalles d'un pouce

(25 mm) sur une carte au 1:25 000, la distance entre un premier élément situé sur une ligne et un autre situé à angle droit sur la prochaine ligne est de 2 000 pieds (600 m). La moitié de la distance entre deux lignes est donc de 1 000 pieds (300 m) et le quart, 500 pieds (150 m).

Pour de plus courtes distances et des mesures plus exactes vous devrez utiliser la réglette graduée qui se trouve sur le devant ou sur les côtés de votre boussole. Mais que vous mesuriez avec une ou l'autre méthode, vous aurez toujours à traduire le nombre de pieds (mètres) obtenu en pas ou, ce qui est préférable, en doubles-pas ou enjambées que vous comptez chaque fois que vous posez votre pied gauche, ou le droit, sur le sol.

Vous avez probablement déjà déterminé la longueur de votre pas en marchant sur un terrain plat (page57). Si vous devenez un fervent de l'orientation vous aurez besoin de connaître la longueur de votre pas sur différents terrains, plats ou en pente.

Si la distance entre deux points de vérification est de 400 pieds (120 m) et que votre double-pas mesure 5 pieds (1,50 m), vous aurez 80 doubles-pas à faire pour couvrir cette distance, mais dès l'instant où vous courrez en montée ou en descente, la longueur de votre double-pas changera et le nombre de pas à faire sera différent.

Si vous avez mesuré votre double-pas, vous connaîtrez la différence selon des terrains variés. Sinon, le tableau suivant vous donnera une idée du nombre de doubles-pas pour parcourir certains terrains en fonction d'une course à vitesse moyenne telle que pratiquée en orientation.

Terrain	**Nombre de doubles-pas sur 100 pieds**	**Nombre de doubles-pas sur 100 mètres**
Routes et sentiers plats	15	50
Hautes herbes	17	56
Forêt claire	20	66
Forêt dense	25	83
En montée	30 et plus	100 et plus
En descente	10 et moins	35 et moins

En d'autres mots, la montée par rapport au terrain plat exige le double de doubles-pas, tandis que la descente en exige trois fois moins.

Quand vous deviendrez un amateur d'orientation très habile, vous apprendrez à mesurer les distances en termes de doubles-pas plutôt qu'en pieds ou en mètres. Si vous avez un esprit mathématique, vous pouvez le faire en mesurant les distances sur la carte en pouces ou en centimètres, puis en les convertissant en pieds ou en mètres pour ensuite les diviser par la longueur de votre double-pas. Vous pouvez faire également ce que font bon nombre de coureurs, c'est-à-dire développer une échelle de doubles-pas sur terrain plat que vous collez sur la plaque de votre boussole. Vous éviterez ainsi d'avoir sans cesse à reprendre vos calculs.

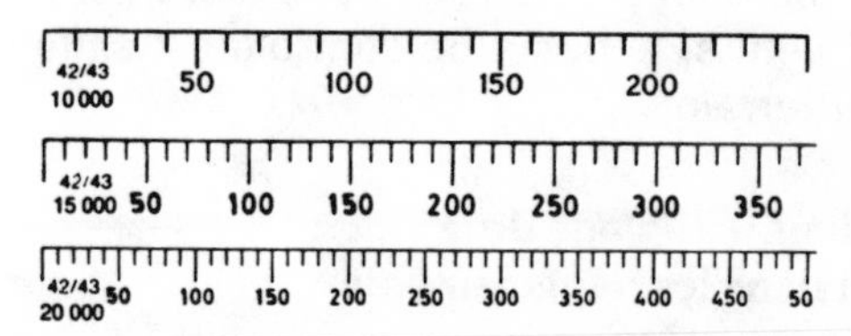

"Echelles de pas" au 1: 10 000, au 1: 15 000 et au 1: 20 000 dans le cas d'une personne qui parcourt 330 pieds (100 mètres) en 42 ou 43 pas.

Ces échelles donnent le nombre de doubles-pas à faire pour parcourir une distance mesurée sur la carte en se basant sur des conditions de terrain moyennes. Des ajustements devront être faits pour des itinéraires plus difficiles ou plus faciles ou vous pouvez coller sur votre boussole une échelle pour les trajets difficiles et une échelle pour les courses faciles. Ce système à été conçu en Norvège par Willy Lorentzen.

La course de précision (segment rouge)

La partie de votre trajet qui va du point d'attaque au poste de contrôle est la plus importante. La lumière imaginaire de signalisation est donc rouge. Votre succès dépend maintenant de la manière dont vous effectuerez votre course de précision, ce qui implique une lecture précise de la carte, un réglage exact de la boussole et de la précision dans vos déplacements de même que dans la mesure de vos doubles-pas.

Précision dans la lecture de la carte

A mesure que vous approchez du poste de contrôle, vous devez savoir exactement où vous êtes chaque fois que vous avancez d'un pas. Vous devrez utiliser tous les points de repère sur le terrain et les replacer sur la carte. Vous aurez aussi recours à la méthode de lecture de la carte à l'aide du pouce.

Pour faire cette lecture correctement vous devez ralentir. Cette perte de temps sera vite compensée par l'exactitude avec laquelle vous vous approcherez du but. Pour les derniers pieds ou mètres à parcourir il peut être nécessaire, ou plus prudent de toute façon, de vous fier entièrement à la boussole, spécialement si le poste de contrôle est situé sur un petit accident du terrain.

Précision dans le réglage de la boussole et dans les déplacements

La précision demande du temps, mais souvent les coureurs champions sont disposés à sacrifier les secondes que cela coûte pour relever les dernières directions à la boussole et les suivre le plus exactement possible.

Pour régler la boussole avec justesse, même le coureur expert doit s'immobiliser complètement pour poser la boussole sur la carte et placer le cadran dans la bonne direction.

Pareillement, pour suivre la boussole avec précision, vous vous arrêterez complètement pendant quelques secondes pour que l'aiguille s'immobilise.

Précision dans la mesure des doubles-pas

Une chose de plus cependant: avant de continuer votre

route vers le poste, mesurez la distance exacte en pieds ou en mètres et transposez-la rapidement en nombre de doubles-pas. En agissant de la sorte, vous connaîtrez l'endroit exact où se trouve la balise et vous ne risquerez pas de dépasser le poste de contrôle.

Avec de la précision dans l'utilisation de la carte et de la boussole, dans vos déplacements et dans le compte des doubles-pas, vous pouvez courir vers le poste de contrôle en toute confiance.

Et là justement se trouve la balise rouge et blanche que vous avez mis tant d'efforts à atteindre. Rapidement, vous contrôlez le numéro de la balise pour savoir s'il correspond avec le numéro inscrit entre parenthèses sur votre feuille de description. Il est bon. Perforez ou poinçonnez votre carte de contrôle avec le symbole codé du poste puis orientez à nouveau votre carte et réglez votre boussole pour le prochain trajet, et ainsi de suite jusqu'à la ligne d'arrivée.

Discussion après la course

Aussitôt que vous avez franchi la ligne d'arrivée, vous vous joignez aux autres coureurs qui ont complété la même course.

Vous avez là la chance de comparer les itinéraires que vous avez choisis avec ceux des autres. Chaque coureur expliquera les raisons de son choix, en précisant les avantages du trajet qu'il a choisi et les désavantages des autres trajets possibles.

De telles discussions vous apprendront beaucoup sur la course d'orientation. Vous aurez la chance d'évaluer de tous les points de vue chaque sélection d'itinéraire et d'en tirer profit pour l'amélioration de vos connaissances en course d'orientation.

ORGANISATION D'UNE COURSE D'ORIENTATION

L'organisation et la participation à une course d'orientation dépendent de son ampleur. Une simple rencontre peut être dirigée par un petit groupe de personnes intéressées. Une rencontre importante exigera une organisation plus complexe; plus de douze officiels y auront des tâches bien définies.

Il arrive souvent qu'un nouvel amateur d'orientation prenne l'initiative d'organiser une course et s'occupe lui-même de tous les détails, depuis le tracé du parcours et la préparation des cartes jusqu'à l'organisation des départs et des arrivées. Vous pourriez vous-même décider d'organiser, avec l'aide de quelques amis, une course facile pour la famille, les amis, des voisins, pour une troupe de Scouts ou un groupe de jeunes.

Pour bien réussir, lisez les pages suivantes qui décrivent l'organisation d'une course de grande envergure et jugez vous-mêmes des modifications à y apporter selon vos besoins, en partageant les responsabilités entre le plus petit nombre de gens possible.

La situation est différente quand un club de course d'orientation organise une course. Alors que les assemblées, les stages d'entraînement et les activités sociales occasionnelles sont d'agréables expériences pour les membres d'un club d'orientation, c'est avant tout l'animation des rencontres régulières qui stimule leur intérêt et les garde réunis. Plus ces activités sont fréquentes, plus le défi à relever est intéressant pour les membres et plus le club est vivant.

Dans un petit club, quelques amateurs enthousiastes peuvent organiser une rencontre en peu de temps, mais une rencontre importante dans un club exige plus de préparation et de planification, et un plus grand nombre d'organisateurs. Quant aux grandes rencontres internationales et aux championnats du monde de course d'orientation, ils impliquent des années de planification et de préparation.

Vous pouvez vous imaginer ce qu'est l'organisation d'une course de cinq jours telle qu'organisée en Suède avec mille coureurs dans quarante catégories.

Quelle que soit l'ampleur d'une rencontre d'orientation, son succès dépend d'une seule personne: celui qui trace le parcours. Il choisit le terrain, sélectionne les postes et finalise les parcours. Si le parcours est bon, la rencontre sera une réussite.

Aussi, la toute première chose à faire est de trouver un traceur de parcours expérimenté et imaginatif et une équipe qui saura l'assister dans la préparation de la course, la publicité et le déroulement de la course.

TRACÉ DU PARCOURS D'UNE COURSE D'ORIENTATION

Si vous êtes membre d'un club d'orientation actif et que vous avez fait preuve d'habileté en orientation, tôt ou tard vous serez appelé à agir comme traceur lors d'une rencontre organisée par votre club. Si vous acceptez, vous relèverez le plus grand défi de votre carrière en orientation et vous vivrez l'aventure la plus agréable. Alors qu'auparavant vous aviez à vaincre les difficultés de parcours imaginées par quelqu'un d'autre pour trouver votre chemin de poste en poste, c'est maintenant à votre tour d'imaginer ces difficultés pour d'autres participants: des difficultés stimulantes et loyales. Vous recrutez donc un groupe de partenaires enthousiastes et vous vous mettez au travail. D'autres membres du club s'occuperont de l'aménagement des zones de départ et d'arrivée, des préinscriptions, de l'arbitrage et autres tâches d'officiels, afin que vous ayez tout votre temps pour préparer le parcours.

Sélection du territoire

Votre première tâche de traceur est de sélectionner un terrain pour la compétition. Le terrain approprié devra comprendre des accidents de terrain variés afin de mettre à l'épreuve toute l'habileté et les connaissances des participants selon un degré de difficulté qui leur convient. Cependant, il faut tenir compte avant tout de la sécurité des participants et de la disponibilité d'une carte de la région.

Le terrain approprié

Le terrain idéal pour une course d'orientation est un terrain boisé, au relief accidenté, avec peu ou pas d'habitations. Autant que possible, ce terrain n'aura jamais été utilisé afin de ne favoriser aucun des participants, surtout lors de rencontres importantes. Un parc provincial ou fédéral entouré de grandes propriétés constitue le lieu idéal pour tracer le parcours d'une course d'orientation.

Choisissez un terrain comprenant plusieurs éléments naturels ou faits par l'homme, faciles à identifier et pouvant servir de postes de contrôle ou de points d'attaque. Les zones dangereuses telles les pentes raides, les carrières, les marécages, etc. sont à éviter car des accidents pourraient s'y produire.

Le terrain aura des frontières bien définies telles une route importante, une voie ferrée, une rivière ou n'importe quel chemin qui permettra à ceux qui s'égarent ou qui choisissent d'abandonner la course de retrouver facilement le point d'arrivée. Ces délimitations marquées sont particulièrement importantes quand des débutants ou de jeunes amateurs participent à la course. Ils découvriront qu'en s'orientant au moyen de la boussole, il est toujours facile de retrouver des régions habitées. Cette précaution peut être mise de côté dans le cas où le parcours a été conçu pour des experts qui savent habituellement retrouver leur chemin en toutes circonstances.

Finalement, la zone de départ sera pourvue de places pour le stationnement des voitures et d'espaces de rangement pour l'équipement et les effets personnels. La zone d'arrivée devrait être équipée de douches si possible ou au moins d'installations permettant aux participants de se laver après la course. Il devrait aussi y avoir des toilettes au départ et à l'arrivée.

La permission du propriétaire

Avant d'entreprendre toute démarche pour le tracé du parcours vous devez, en tant que traceur, vous assurer que toute personne propriétaire du terrain ou qui en a la responsabilité permettra que vous l'utilisiez le jour où la course est prévue. Cette démarche s'applique également aux terrains publics.

Dans certains cas, les demandes de permission se font par écrit, dans d'autres cas oralement. La permission sera généralement accordée si la requête est convenablement présentée, si l'activité est expliquée clairement et si vous garantissez le respect des limites imposées quant à l'utilisation du terrain.

La carte du terrain

Pour une course d'orientation de compétition il est important d'avoir une carte bien détaillée du terrain. L'idéal serait une carte au 1: 25 000, mais elles sont rares au Québec. Les parcs provinciaux ou fédéraux ont habituellement des cartes de leur territoire. Le jour de la course, les participants peuvent utiliser des cartes spéciales préparées à l'aide de cartes originales revues et mises à jour (voir page 202, *Les cartes spéciales*). Les cartes topographiques sont valables pour la plupart des régions, mais la carte revue à laquelle vous aurez ajouté des détails fait de la course d'orientation une expérience plus intéressante.

Le tracé du parcours — conception théorique

Une fois que vous avez choisi le terrain qui vous convient, obtenu la permission de l'utiliser et la carte qui le représente, vous êtes prêt à vous mettre au travail. Le tracé initial du parcours se fait à la maison. Commencez par étudier la carte du terrain. Si vous êtes un expert en orientation, les symboles de la carte sembleront prendre du relief. Les courbes de niveau deviendront collines et montagnes, la forêt prendra forme, les traits noirs deviendront des sentiers, des routes, des voies ferrées et des lignes de transmission. Tout ce qui est bleu deviendra rivière tortueuse ou lac paisible.

En utilisant votre imagination, repérez sur la carte les emplacements qui offrent les meilleurs défis. Encerclez-les en autant d'endroits que vous pouvez trouver où le relief est différent. Ne griffonnez pas la carte tout de suite; placez-la sous une feuille de plastique transparent sur laquelle vous pouvez écrire, et effacer avec un petit chiffon, ou bien utilisez plusieurs feuilles de plastique qui vous permettront de retenir toutes vos idées quant aux différents parcours possibles et à l'emplacement des postes de contrôle.

Il n'y a pas de règles absolues qui dictent la forme et le caractère d'une course, sauf pour les grandes courses nationales et internationales. Il n'y a pas de normes quant à la longueur du parcours, la distance entre les postes de contrôle ou le nombre de postes. La mise sur pied du parcours est laissée à la discrétion du traceur qui doit considérer l'habileté et l'âge des participants. La qualité du parcours dépend des connaissances du traceur, de son imagination et de son jugement, quoiqu'il soit limité par les ressources du terrain.

Néanmoins, certaines considérations devront toujours être présentes à votre esprit.

Généralités

Course et orientation — Il faut réaliser avant tout que la carte et la boussole sont les éléments dominants de la course d'orientation. Le parcours doit être conçu pour qu'intervienne l'habileté intellectuelle à utiliser les techniques de l'orientation plutôt que l'habileté physique pour la course tout terrain.

Variété — Un bon tracé de parcours doit offrir de la variété. Il doit permettre au participant d'exercer son habileté à lire une carte et à courir avec la boussole, la carte étant l'outil le plus important et la boussole ayant un rôle de second plan. Il doit également lui offrir l'occasion de courir sur toutes sortes de terrains: en forêt, le long des routes et des sentiers, à travers champs et pâturages, par-dessus ou autour des collines, mais en forêt surtout. La distance entre les postes est variable, de même que la difficulté d'accès.

Choix de route — En premier lieu, le parcours doit offrir au participant le plus grand nombre de choix possible pour établir son trajet de poste en poste. C'est dans ce choix que se révèlent l'ingéniosité et la vivacité d'esprit du participant.

Difficulté du parcours — Finalement, le parcours doit être adapté à l'âge et à l'habileté des participants. Les coureurs experts s'attendent à un parcours difficile, assez long, avec des défis à leur mesure quant à la découverte des postes de contrôle. Les jeunes et les débutants apprécieront un parcours pas très long avec seulement quelques postes de contrôle faciles à trouver.

Le tableau suivant suggère le nombre de postes et les longueurs de parcours appropriés pour différents groupes d'âge, mais un participant peut désirer suivre un parcours plus difficile que ceux indiqués pour son âge, afin de rencontrer de plus grands défis techniques.

Catégorie	Course	Milles (km)	Nombre de balises	Evaluation
Débutants et promeneurs	blanche	1 à 1½ (1,5 à 2,5)	3 à 5	facile
Filles de 14-16 ans Garçons de moins de 14 ans	jaune	2 à 3 (3,5 à 4,5)	4 à 7	facile et moyennement difficile
Garçons de 15-16 ans Hommes de 50 ans et plus	orange	2 à 3 (3,5 à 4,5)	4 à 7	plus difficile
Femmes de plus de 20 ans Hommes de 17-19 ans et 40-50 ans	rouge	4 à 5 6,5 à 8	7 à 10	moyennement et très difficile
Hommes de plus de 21 ans	bleue	5 à 8 (8 à 12,5)	9 à 12	très difficile

Postes de contrôle et points d'attaque

Les postes sur un parcours doivent se trouver à des emplacements divers. Quelques postes peuvent être placés à

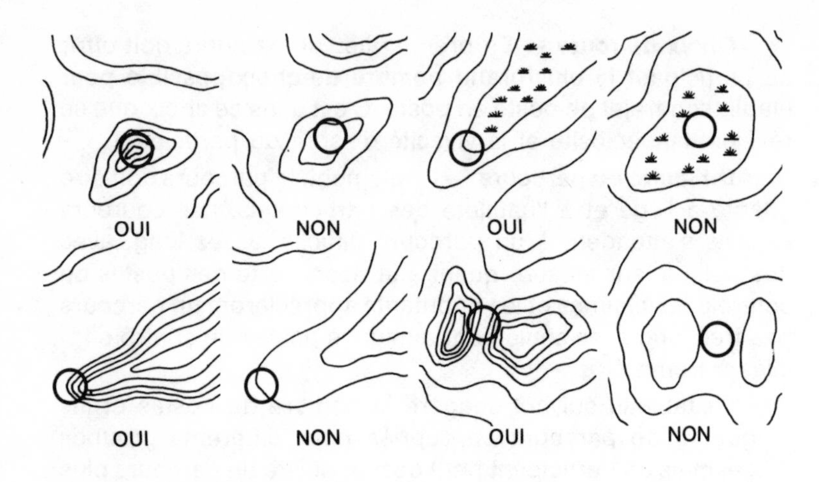

Exemples de postes bien ou mal situés dans le paysage.

des points élevés sur le terrain, d'autres à des repères faits par l'homme ou à des points d'eau, chacun des postes requérant une technique d'approche spéciale.

Les postes de contrôle que vous choisirez dépendront de la classe des coureurs auxquels vous avez affaire. Pour des coureurs experts les postes de contrôle peuvent se situer dans une dépression, sur un monticule ou dans une petite baie. Pour les débutants, les postes les plus recommandés sont les sommets de colline, les ponts et les intersections de chemins.

Dans la même ligne de pensée, le coureur expert peut accomplir le parcours avec un seul point d'attaque plus ou moins évident tandis que le coureur moins expérimenté aura besoin d'un ou plusieurs accidents de terrain bien visibles pour mener son attaque.

L'illustration de la page196 désigne les éléments du paysage le plus souvent utilisés comme postes de contrôle. Pour plus de simplicité, ils sont classés comme suit: les oeuvres de l'homme, l'hydrographie et les accidents de terrain. La terminologie utilisée par les coureurs d'orientation demande certains éclaircissements:

Col: dépression formant passage entre deux sommets montagneux.

Colline: élévation représentée par deux ou plusieurs courbes de niveau.

Crête: faîte d'une colline représentée par des courbes de niveau aux lignes presque parallèles.

Dépression: point du terrain à un niveau plus bas que ce qui l'entoure.

Eperon: avancée rocheuse entre deux thalwegs, représentée par des courbes de niveau en U.

Etang: petite étendue d'eau (maximum 80 pieds ou 25 mètres).

Etranglement: partie rétrécie de la crête.

Monticule: petite colline représentée par une seule courbe de niveau.

Niche: concavité sur un flanc de colline.

Passage: petite gorge entre deux collines ou montagnes.

Piste: petit sentier illustré par un seul trait pointillé.

Ravin: entaille en V entre deux escarpements rapprochés représentée par des courbes de niveau parallèles et serrées.

Replat: surface plane limitée par un talus.

Sentier: chemin étroit, non revêtu, illustré par des lignes pointillées parallèles.

Sommet: surface la plus haute d'une colline représentée par des courbes de niveau rapprochées.

Vallée: partie concave d'un terrain comprise entre deux sommets et représentée par des courbes de niveau espacées plus ou moins parallèles.

Vallée suspendue: petite vallée sur le flanc d'une vallée principale représentée par des courbes de niveau en V vers l'intérieur de la colline.

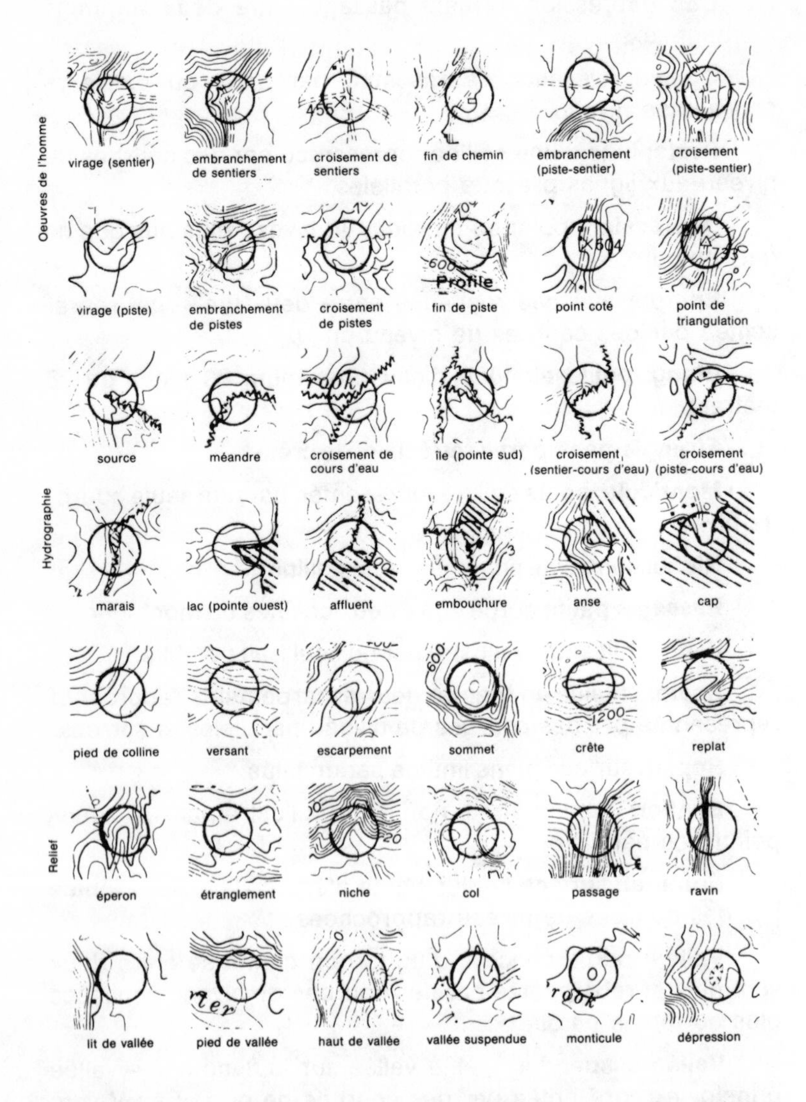

Les emplacements utilisés comme postes de contrôle peuvent être des oeuvres de l'homme, des éléments hydrographiques ou des éléments de relief. Vous trouverez une description de certains de ces éléments à la page 195.

Dans certains cas, des éléments du terrain ne sont pas représentés sur la carte, mais ils peuvent être utilisés comme postes de contrôle. Le nom d'un élément qui ne se retrouve pas sur la carte est toujours précédé d'un article indéfini sur la fiche de description des postes: par exemple, *un* pont, tandis que le nom d'un élément qui se retrouve sur la carte est précédé d'un article défini: par exemple, *le* pont. Une telle ambiguité devrait être supprimée et tous les postes de contrôle devraient être clairement indiqués sur les cartes utilisées pour la course d'orientation.

Il y a bien entendu d'autres éléments du paysage qui peuvent servir de postes de contrôle: églises, cimetières, carrières, marais, barrages, tranchées, croisements de sentiers, etc.

Etudiez attentivement la fonction du poste de contrôle avant de déterminer son emplacement définitif: il est un moyen et non une fin. De la même façon qu'atteindre la cible nécessite du tireur une adresse exceptionnelle, le coureur d'orientation expert fera preuve de beaucoup d'habileté pour atteindre un poste. C'est le trajet entre les postes qui compte dans une course d'orientation. Découvrir un poste ne devrait jamais être le fruit du hasard. Les postes doivent être placés de telle sorte que le coureur utilise pleinement son habileté à lire une carte pour choisir son trajet et à se guider au moyen de la carte et de la boussole pour suivre son chemin. Par conséquent, vous devez considérer avant tout les diverses possibilités de trajets pour atteindre un poste avant de déterminer son emplacement.

Choix d'itinéraires

La séquence dans laquelle vous disposez les postes de contrôle détermine la distance entre les postes et constitue finalement le parcours.

Dessinez des lignes temporaires entre vos postes de contrôle et étudiez les accidents de terrain entre les postes. Le meilleur intervalle entre deux postes est celui qui offre au participant le plus de choix d'itinéraires possibles et par le fait même l'oblige à exercer son habileté à lire une carte.

La boussole et la carte

L'utilisation de la boussole est complémentaire à celle de la carte, et non le contraire. Si, par exemple, la route directe à la boussole du poste 4 au poste 5 n'est pas seulement la plus courte mais la plus rapide et qu'elle n'entraîne aucun choix, un autre emplacement devra être établi pour ce poste. C'est seulement dans des occasions exceptionnelles et sur une distance très courte qu'un bon traceur placera deux postes de sorte qu'ils soient accessibles en utilisant seulement la boussole.

D'autre part, si l'azimut le plus direct à la boussole passe par le sommet d'une colline abrupte ou à travers un boisé dense, ce choix devient important à cause de la nécessité de contourner l'obstacle.

L'alignement des postes

Une attention particulière devra être portée pour que l'itinéraire menant à un poste ne forme pas un angle aigu avec l'itinéraire qui s'en éloigne car les retardataires seraient ainsi avantagés: ils pourraient apercevoir les coureurs qui les précèdent et connaître d'avance la direction à suivre vers le prochain poste.

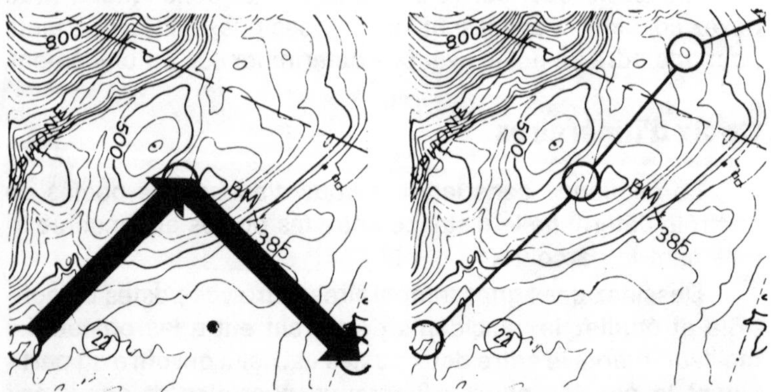

Evitez que l'itinéraire menant à un poste forme un angle aigu avec l'itinéraire qui s'en éloigne.

Repère transversal

Un repère transversal important, tel une route, une rivière ou un lac encourage la course rapide avec l'aide de la boussole seulement, le coureur se fiant au repère qu'il sait devoir croiser sa route. Cette course au moyen de la boussole seulement sur de longues distances est connue sous le nom de "kilomètres perdus" dans les grandes courses internationales. Pour éviter cela, ne placez jamais un poste de l'autre côté d'un repère transversal; placez-le plutôt à environ 200 pieds (60 m) avant le repère. Vous obligerez ainsi le coureur à utiliser toutes ses connaissances en orientation puisqu'il risque de dépasser le poste de contrôle s'il choisit la course rapide jusqu'à ce qu'il rencontre le repère transversal. Il se pénalisera ainsi lui-même puisqu'il devra revenir sur ses pas, perdant ainsi un temps précieux.

Risques

Ne placez jamais un poste de sorte que l'itinéraire permette le choix d'une route dangereuse pour gagner du temps: lac au rivage marécageux ou zone d'éboulements. Si un tel choix est possible, trouvez un autre emplacement pour le poste de contrôle.

Le tracé du parcours — sur le terrain

Après avoir tracé avec beaucoup d'attention le parcours de la course sur une carte à la maison, vous devez vérifier sur le terrain si cette course est réalisable.

La partie la plus importante du travail sur le terrain est de déterminer si les postes de contrôle choisis sont valables, si des points d'attaque sont utilisables et si le poste et les points d'attaques se retrouvent sur le terrain exactement à l'endroit indiqué sur la carte.

Vérification des postes de contrôle et des points d'attaque

Il n'y a rien de plus déconcertant pour un coureur que de perdre son temps à la recherche d'un poste impossible à trouver parce que mal placé ou mal indiqué. La course d'orientation n'est pas une chasse au trésor ou un jeu de cache-cache mais un sport qui fait appel au franc-jeu dans toutes les circonstances.

En conséquence, votre rôle de traceur ne consiste pas seulement à tracer le parcours sur la carte. Vous devez vous rendre sur le terrain pour vérifier si les emplacements choisis pour les postes de contrôle sont bien identifiables et s'ils se retrouvent bien à l'endroit indiqué sur la carte. Si l'emplacement sur le terrain ne s'accorde pas avec l'emplacement sur la carte, il ne faut pas hésiter à changer. Vous devez également vérifier si le participant peut compter sur les points d'attaque indiqués sur la carte pour atteindre le poste. Beaucoup de ces exercices de contrôle exigeront de la précision dans l'utilisation de la boussole et dans la mesure des doubles-pas.

En même temps que vous vérifiez chaque emplacement de poste, attachez un ruban de couleur à un objet près du poste. Ceci simplifiera les choses quand viendra le temps de placer la balise juste avant la compétition.

Vérification de la carte

La carte idéale pour la course d'orientation est celle qui est une réplique parfaite du terrain réduit à une petite échelle. En d'autres termes, c'est le miroir du terrain. De telles cartes sont rares. Il est difficile de produire des cartes sur lesquelles ne manque aucun détail. Plusieurs changements sont probablement survenus entre le moment où la carte a été réalisée et celui où vous l'utilisez. Une nouvelle route a pu être construite ou une ancienne route abandonnée; des maisons peuvent avoir été bâties ou être tombées en ruine; certains boisés ont pu être mis à découvert ou vice versa; un lac peut être devenu marécage, etc.

Ce sont ces changements d'éléments qui risquent de compliquer le choix du parcours. Vous n'aurez pas à tenir compte des changements mineurs qui n'influencent pas les choix d'itinéraires ou l'emplacement des postes. Mais les changements importants, telle la disparition d'un pont et sa reconstruction à un emplacement différent, devront absolument être inscrits sur la carte-modèle et sur les cartes utilisées par les participants.

Mise au point du parcours

La reconnaissance pour l'emplacement des postes ne peut se faire en une seule fois. Vous devrez vous rendre sur le terrain plusieurs fois. Normalement, vous reviendrez avec de nouvelles idées quant à l'emplacement des postes. N'hésitez pas à apporter ces modifications, déterminez l'emplacement définitif des postes et numérotez-les dans l'ordre où ils seront visités. Faites ensuite votre liste de description des postes, indiquant leur nature et, entre parenthèses, le numéro de la balise.

En dernier lieu, parcourez le terrain, seul ou avec un ami, pour une vérification finale. Puis, demandez à cet ami de faire le parcours comme un coureur. Dans les grandes compétitions internationales, un vérificateur officiel ou *course vetter* comme le nomment les Anglais, est chargé de la vérification finale.

Les cartes pour la course d'orientation

Les cartes nécessaires pour une compétition de course d'orientation sont une carte de la zone pour chaque concurrent et la carte-modèle vers laquelle les coureurs se dirigent, après leur départ, pour recopier sur leur propre carte le parcours de la course et l'emplacement des postes de contrôle à visiter. On peut supprimer la carte-modèle en imprimant ou en traçant le parcours directement sur la carte du participant.

Les cartes des participants

Chaque coureur sera muni d'une carte de la zone de compétition. Le coût de la carte est compris dans le montant de l'inscription (voir page 207, *Les invitations*). Les cartes des participants peuvent être une carte topographique dressée par un service du gouvernement, une carte topographique semblable, mais publiée par une province ou un comté, une reproduction de carte en noir et blanc ou en couleur ou une carte conçue spécialement pour la course d'orientation.

Si le budget le permet, vous pourrez munir chaque participant d'une carte topographique. Il est moins coûteux cependant de faire des reproductions en noir et blanc de la section de la carte qui recouvre votre zone. Cela implique certains préparatifs.

Commencez par hachurer les lacs et dessinez des traits ondulés en forme de vagues pour les cours d'eau, parce que le bleu des cartes topographiques ne ressort pas à la photographie. Ensuite, faites une photocopie ou un PMT (*photo mechanical transfer*) de la partie de la carte qui vous intéresse, l'agrandissant si possible à l'échelle 1: 12 000 où un pouce correspond à mille pieds. N'oubliez pas d'inclure l'échelle quand vous reproduisez la carte.

Collez la copie obtenue sur un morceau de carton. Ajoutez en marge des informations supplémentaires tels le nom du territoire, le nom de la rencontre, l'échelle en fractions, la distance entre les courbes de niveau et autres renseignements spéciaux: "Tous les sentiers ne sont pas représentés." "Toutes les maisons ne sont pas indiquées." Finalement, apportez les corrections nécessaires et tracez les lignes de déclinaison magnétique à un pouce (2,5 cm) d'intervalle. Faites un nombre suffisant de copies de la carte ainsi complétée.

Les cartes spéciales

Avec le temps, vous en arriverez sûrement à entrepren-

dre la réalisation d'une carte spécialement conçue pour la course d'orientation. La réalisation de telles cartes rend la course d'orientation encore plus intéressante. Elle nécessite encore plus d'habileté de la part du participant et la capacité de prendre des décisions rapides. Ces cartes ont été conçues sous la direction de la Fédération internationale de la course d'orientation (*International Orienteering Federation*). Elles sont beaucoup plus précises et plus détaillées que les cartes topographiques ordinaires. Les échelles varient du 1: 5 000 au 1: 20 000.

Les cartes pour la course d'orientation sont dressées à partir d'une carte muette sur laquelle les courbes de niveau sont très précises. La carte est réalisée à partir de photographies aériennes et représente tous les éléments importants du terrain: lacs, criques, routes, autoroutes, de même que plusieurs sentiers et maisons. Il faut ensuite se rendre sur le terrain pour localiser les éléments mineurs du terrain: monticules, dépressions, blocs erratiques, sentiers, petits marais, clôtures, etc.

Ce sont ces types de cartes qui sont utilisées pour les grandes classiques nationales et internationales. Vous en trouverez un exemple à la page 224. Ceux qui désirent se renseigner sur la disponibilité de telles cartes doivent contacter la Fédération de la course d'orientation dont l'adresse est donnée à la fin de ce livre. Vous trouverez à la Fédération des renseignements supplémentaires sur la façon de dresser une carte d'orientation.

Les cartes-modèles

Afin de produire un nombre suffisant de cartes-modèles, il vous suffit de reproduire le parcours sur votre carte pour en faire une carte-modèle. Ceci se fait à l'aide d'un crayon rouge, d'un calibre à cercles en plastique et d'une règle.

En prenant le calibre et le crayon rouge, vous commencez par encercler les postes de contrôle, les cercles ayant 5 mm de diamètre. Il est important de bien centrer le cercle par rapport à l'emplacement exact du poste. Dessinez également un triangle pour désigner l'endroit où sera déposée la carte-modèle et où a lieu le départ de la course. Deux cercles concentriques de 5 et 7 mm indiquent la ligne d'arrivée. Pour une course d'orientation dirigée, les postes doivent être numérotés dans l'ordre où ils seront visités et reliés par un trait rouge. Pour une course d'orientation libre, il faut écrire le nombre de points accordés pour chaque poste.

Reproduisez ensuite cette carte-modèle en autant d'exemplaires que nécessaire. Si vous recevez par exemple 100 participants dans une catégorie de course prévue à votre programme, vous aurez besoin de plusieurs cartes-modèles afin d'éviter que les coureurs soient retardés au moment de copier la carte.

Les balises

Le travail n'est pas fini pour le traceur! En effet le matin de la course, ou la veille, le traceur va placer les balises.

Les balises officielles

La balise standard est constituée de trois carrés de 12 pouces (30 cm) de côté, séparés par une diagonale qui délimite un triangle blanc en haut à gauche et un triangle rouge en bas à droite. Chaque balise est identifiée par un numéro (au-dessus de 30) ou une lettre noire de 2½ à 4 pouces (6 à 10 cm) de hauteur et ¼ à ⅜ de pouce (6 à 10 mm) de largeur. Une ficelle permet de suspendre la balise en carton imperméable ou en toile de nylon phosporescente. Ces balises sont disponibles au *Orienteering Services* de votre pays.

Avec de l'ingéniosité, vous pouvez confectionner vous-même des balises. Prenez une boîte de carton (12 po X 24 po X 12 po) que vous découpez aux dimensions voulues. (Vous pouvez faire deux balises avec une boîte.) Trois tuiles en vinyle feront l'affaire aussi dans la mesure où vous les peignez aux

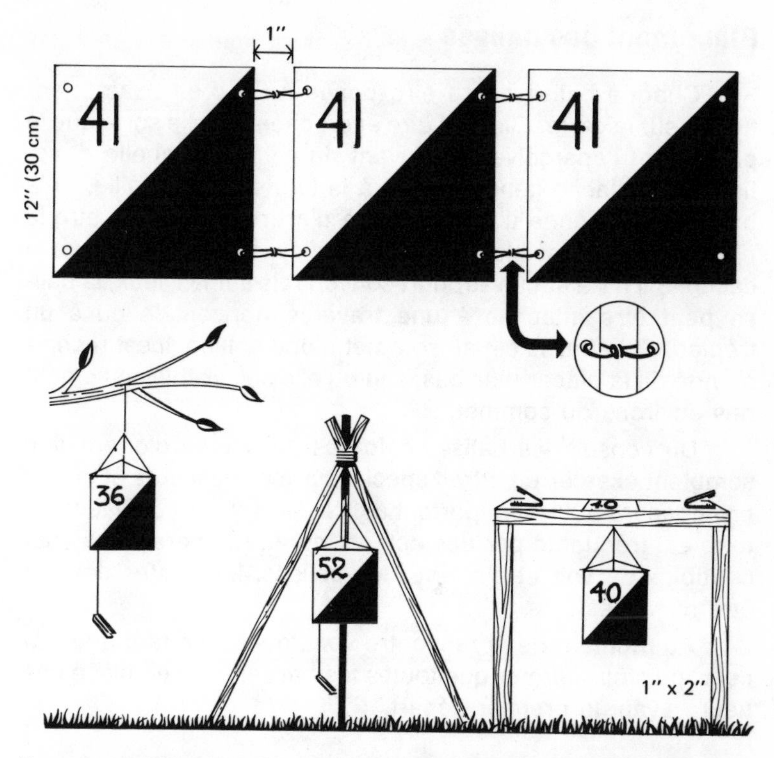

Vous pouvez faire vous-même vos balises d'orientation en attachant ensemble trois carrés de 12 pouces de côté. Vous pouvez les suspendre à une branche d'arbre ou à des planches de bois servant de trépied.

couleurs standard. Vous inscrivez ensuite le code, en chiffres ou en lettres.

Pour une rencontre d'orientation informelle ou pour des raisons financières vous pouvez aussi prendre des contenants d'un gallon que vous peindrez selon les normes officielles.

Avec une bonne ficelle, attachez à chaque balise un poinçon ou un tampon permettant au coureur d'inscrire sur sa feuille le code de la balise et de prouver son passage au poste.

Placement des balises

Chaque balise devra être posée à l'endroit exact mentionné sur la carte. Elle doit être accrochée de telle sorte que le participant l'aperçoive en arrivant de n'importe quelle direction. On l'attache généralement à la hauteur de la taille. Si la balise est attachée à une branche d'arbre, elle devra être le plus éloignée possible du tronc afin d'éviter que le tronc ne la cache. S'il n'y a aucun support convenable sur les lieux, la balise peut être attachée à une traverse horizontale ou à un trépied. Si la balise est au sommet d'une colline, il est recommandé de la placer plus bas, afin qu'elle soit visible seulement des environs du sommet.

Un conseil: les balises colorées de course d'orientation semblent exercer un attrait spécial sur les chasseurs et autres promeneurs qui les emportent à titre de "souvenir." Si le territoire est fréquenté par des enfants ou autres personnes susceptibles de voir et d'enlever les balises, les postes devront être surveillés.

Au moment de la rencontre vous devez, en tant que traceur, pouvoir affirmer que toutes les balises sont en place une heure avant le premier départ.

DÉROULEMENT DE LA COURSE

Pendant que le traceur était occupé à tracer le parcours, à dresser la carte-modèle et à préparer les feuilles de description des postes, d'autres officiels du club ont assumé des tâches bien précises, l'un d'eux étant responsable du déroulement de la compétition. Certains s'occupent des préparatifs préliminaires: invitations, réception et classement des inscriptions, envoi des dernières informations et possiblement le choix de prix. D'autres tâches se font le jour même de la course: installation de la table d'inscription dans la zone de rassemblement, aménagement et surveillance de la zone de départ, de la ligne d'arrivée et possiblement de certains postes de contrôle.

Les préliminaires

Les invitations

Avant chaque rencontre importante de course d'orientation, des invitations sont lancées à tous les clubs et autres organisations, de même qu'aux individus intéressés. Tout ceci sera fait au moins un mois avant la date de la compétition. Dans le cas d'une petite compétition, la nouvelle se diffusera lors d'une réunion du club, par téléphone ou au moyen d'une note sur le tableau d'affichage.

Les invitations à une course d'orientation devraient contenir l'information suivante: (voir page 163).

1. Type de course (libre, dirigée, aux points, à relais, etc.).
2. Date et heure de la rencontre.
3. Lieu de la rencontre et information cartographique.
4. Longueur des parcours pour les différentes courses.
5. Date limite pour les inscriptions.
6. Coût de l'inscription.
7. Nom et adresse du club organisateur.

L'inscription des participants

Dès la réception des premières inscriptions, le secrétariat du club organisateur remplit la carte de contrôle du coureur avec son nom, le nom de son club ou de son équipe, son numéro de départ et la classe à laquelle il appartient.

Une semaine avant la course, la secrétaire envoie les dernières informations à chaque participant inscrit: le lieu de rendez-vous, l'heure de son départ et des détails concernant le stationnement, le vestiaire, l'équipement et autres conditions spéciales (voir page163).

Feuille d'enregistrement								
Course ______		Lieu ______				Date ______		
Nom	No.	Equipe	Catégorie	Heure de départ	Heure d'arrivée	Temps final	Erreurs de contrôle	Classement

La feuille d'enregistrement peut être conçue comme l'exemple ci-dessus. Les renseignements concernant chaque participant y sont inscrits.

Le jour de la course

La zone de rassemblement

Dès qu'un participant arrive à l'endroit de rassemblement, après avoir stationné sa voiture et s'être changé, il va s'enregistrer à la table d'inscriptions. Son nom est écrit sur une feuille et on lui donne sa carte de contrôle sur laquelle est inscrite l'heure de son départ. Il a ensuite la chance d'aller discuter avec d'autres participants au sujet de la course et de lire l'information au tableau d'affichage s'il y en a un. Il peut y trouver de l'information sur les premiers soins, les numéros de téléphone à composer en cas d'urgence, l'heure prévue pour la fin de la rencontre, l'heure à laquelle les balises seront enlevées et l'azimut de sécurité. On peut aussi afficher la liste des participants et l'heure de leur départ.

La zone de départ

Le départ d'une course d'orientation se fait en deux temps:

L'appel — Habituellement, le participant est appelé à la zone de départ par l'annonceur officiel, cinq minutes avant son heure de départ. Un officiel se charge de contrôler les présences tandis qu'un autre vérifie si chaque concurrent a une carte et une liste de description des postes, et le conduit à la ligne de départ.

Le départ — Ordinairement, un coup de sifflet avertit le participant de se rendre à la ligne de départ. Un officiel lui annonce son heure de départ et un autre inscrit son nom dans le registre de la course.

La méthode la plus populaire pour les départs est de faire partir les participants toutes les trois minutes (voir page164).

Trois minutes avant le départ — Le participant est appelé et entre dans le premier carré de son corridor. (A vos marques!).

Deux minutes avant le départ — Au coup de sifflet, le participant avance dans le second carré de son corridor (Préparez-vous!). Il reçoit la liste de description des postes et une carte "vierge" où le parcours n'est pas tracé.

Une minute avant le départ — Un autre coup de sifflet: le coureur avance dans le troisième carreau de son corridor. C'est ici que sont distribuées les cartes avec le parcours imprimé si elles existent. (Remarquez que la liste de description des postes est aussi nécessaire avec une carte au parcours imprimé car elle permet au coureur de connaître la localisation et la nature du poste.)

Zéro minute — Au troisième coup de sifflet (Partez!) le coureur s'élance. A ce moment, un officiel note l'heure de son départ.

La zone de la carte-modèle

A moins que les cartes ne soient imprimées, la première partie de la course n'est que de 100 à 300 pieds (30 à 100 m) de longueur et balisée de rubans blancs, jaunes, rouges, et bleus pour les coureurs-élites. Ce balisage conduit les cou-

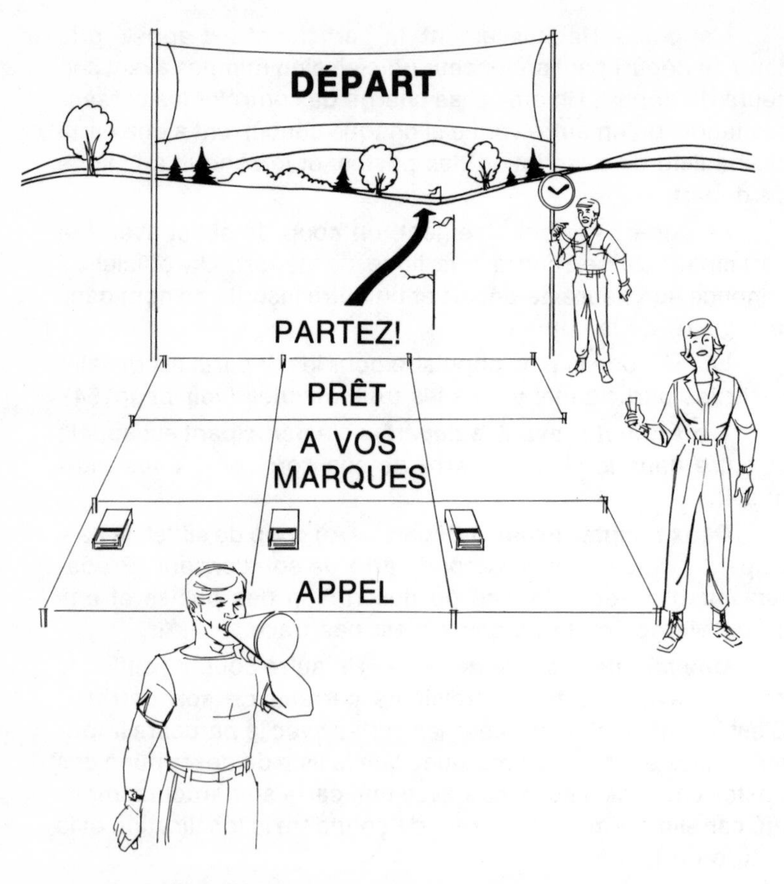

Il suffit de quelques officiels pour organiser les départs, la tâche la plus importante étant l'enregistrement des temps de départ.

reurs à la carte-modèle qui leur convient, hors de vue de la ligne de départ.

Chaque coureur suit le sentier à toute vitesse vers la carte-modèle de sa catégorie. Cette carte-modèle préparée par le traceur est collée sur une planche et recouverte d'une feuille de plastique transparent pour la protéger contre les intem-

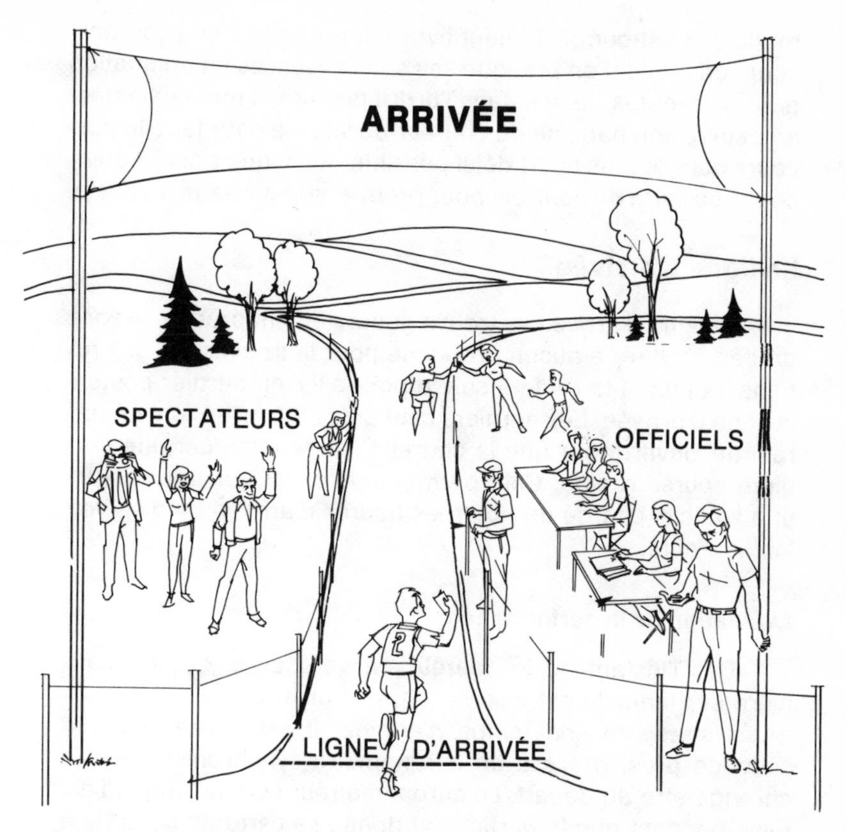

Il doit y avoir au moins 6 officiels à la ligne d'arrivée, dépendant du nombre de participants à la course.

péries et les empreintes de doigts. Le coureur trace le parcours sur sa carte avec une attention particulière.

Dès qu'il a fini, il quitte la zone de la carte-modèle, représentée sur la carte par un triangle, et il se dirige vers le premier poste entouré d'un cercle sur sa carte.

Le parcours

Dès l'instant où le coureur quitte la zone de la carte-modèle, il est complètement livré à lui-même. Il suit son parcours en mettant en pratique ses connaissances en orientation pour trouver les postes dans l'ordre prescrit. Il met également en oeuvre son habileté de coureur de vitesse pour faire le parcours dans le plus court délai possible. A chaque poste il poinçonne sa carte de contrôle pour prouver son passage au poste.

La ligne d'arrivée

La ligne d'arrivée se trouve généralement près de la zone de départ. Il n'y a aucun problème pour la trouver car des rubans indiquent la route à suivre pour aller du dernier poste à la ligne d'arrivée. Les derniers cent pieds (30 m) se font en terrain découvert pour que le coureur puisse effectuer une dernière course rapide. Cela permet également aux spectateurs et à l'officiel chargé de noter les heures d'arrivée de bien voir les coureurs.

Evaluation de la performance

Dès l'instant où le coureur passe sous la grande bannière sur laquelle est inscrit: "Ligne d'arrivée", le chronométreur enregistre son temps d'arrivée. Il est enregistré à la seconde près, grâce à un chronomètre synchronisé avec le chronomètre du départ. Le chronométreur écrit le temps d'arrivée pendant que le participant donne sa carte de contrôle à l'officiel chargé de recueillir les cartes et de les classer dans l'ordre des arrivées. Les cartes de contrôle sont ensuite ramassées, 10 ou 15 à la fois selon la fréquence des arrivées, et remises à l'officiel chargé d'inscrire les heures d'arrivée dans son registre et de vérifier si les cases de la carte de contrôle sont poinçonnées correctement et dans l'ordre. (Si une ou plusieurs marques de contrôle manquent ou sont incorrectes, le coureur est disqualifié ou pénalisé en ajoutant par exemple 30 minutes à son temps final pour chaque poste manqué.) Ensuite, un officiel est chargé de calculer la note de chaque coureur selon les minutes et les secondes écoulées entre son départ et son arrivée.

CATÉGORIE | COURSE | C.O.F. NO.

NOM

CLUB | DÉPART

- -

CATÉGORIE | COURSE | No

NOM

CLUB

compétition | date

Orienteering®
Control Point
Cards

SILVA®

446 McNicoll Ave.
Willowdale, Ont.

HEURE D'ARRIVÉE

HEURE DE DÉPART

TEMPS ÉCOULÉ

1	2	3	4	5
6	7	8	9	10
11	12	13	14	15

Exemplaire d'une carte de contrôle des postes. La partie supérieure est remise à l'officiel qui enregistre les départs et la partie inférieure est utilisée par le participant pour marquer son passage aux postes.

Tableau des résultats

Dès que le résultat est calculé, il est affiché sur un tableau par un officiel ou un de ses aides. Le tableau peut être constitué de petites planchettes munies d'oeillets et de crochets ou d'un cadre en plastique avec trous et crochets correspondants. (voir illustration, page 214). Ce système permet de reclasser facilement les noms des participants à mesure que les coureurs franchissent la ligne d'arrivée et que de nouveaux résultats sont connus.

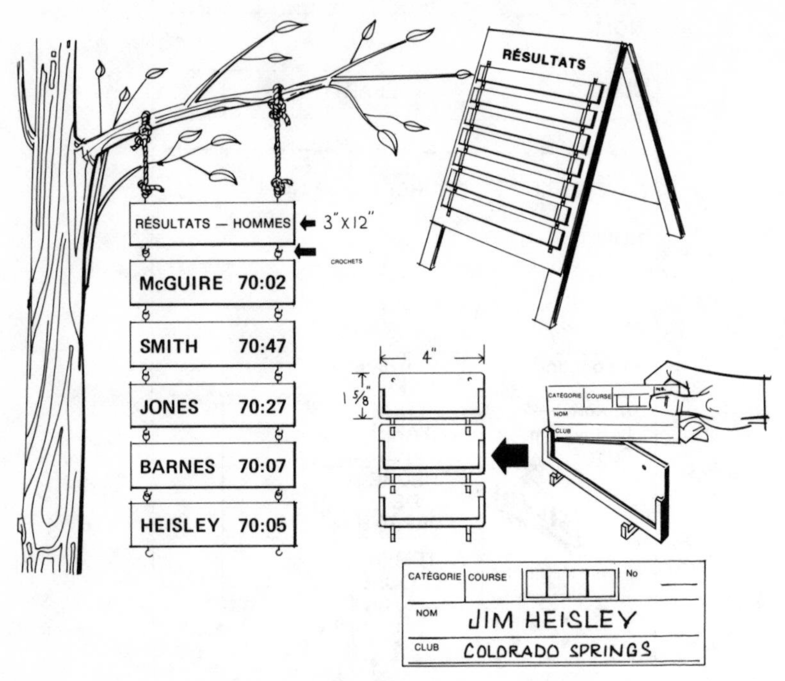

Le tableau des résultats peut être constitué de planchettes de bois ou de plastique accrochées les unes aux autres ou placées sur un contreplaqué.

Présentation des récompenses

Si des récompenses sont prévues, la présentation se fera à la fin de la compétition lors d'une cérémonie simple et brève.

CONCLUSION

Nous avons donné un aperçu de ce qu'est l'orientation et nous avons exposé les principes de base de l'utilisation de la carte et de la boussole, et du sport d'orientation. Il y aurait, bien sûr, encore beaucoup de choses à dire sur le sujet, mais seule la pratique de l'orientation saura compléter les connaissances que vous avez acquises.

En effet, seuls des exercices répétés, à la maison ou sur le terrain, des randonnées ou des excursions à la campagne ou la participation à des courses de compétition pourront vous procurer l'assurance d'un adepte expérimenté et vous permettre de goûter tout le plaisir du sport d'orientation.

Prenez donc l'habitude de toujours emporter carte et boussole avec vous et vous pourrez ainsi saisir toutes les occasions de vous entraîner au sport d'orientation, et vous aventurer en toute sécurité au gré de votre fantaisie.

RÉPONSES

Signes conventionnels (page 29)

1. route revêtue
2. courbes de niveau
3. cimetière
4. voie ferrée
5. source
6. puits
7. bâtiments
8. point coté
9. marécage
10. sentier
11. pont (rivière, route)
12. point de triangulation
13. cours d'eau
14. route non-revêtue
15. dunes de sable
16. église
17. école

Courbes de niveau (page 32)

1. (a) presque de niveau
2. (a) du bas vers le haut de la carte
3. (b) en pente douce, s'élevant seulement à 40 pieds
4. (a) un cours d'eau à courant lent
5. (a) Hutton Hill
   (c) Niger Marsh
   (e) Huckleberry Mountain

Association des formes de dénivellation (page 33)

A — 6, B — 1, C — 4, D — 3, E — 2, F — 5

Lecture de positions (pages 41)

1. 73°	2. 297°	3. 50°	4. 274°	5. 160°
6. 168°	7. 126°	8. 183°	9. 160°	10. 346°

(Les lectures se font à partir du centre d'un repère jusqu'au centre d'un autre repère, avec une marge d'erreur de deux degrés environ.)

Les directions (page 43)

1. 358° 2. 97° 3. 252° 4. 80° 5. 106°

(Les lectures se font à partir du centre d'un repère jusqu'au centre d'un autre repère avec une marge d'erreur de deux degrés environ.)

Calcul des distances (page 48)

1. 7 100 pieds
2. 2 900 pieds
3. 4 000 pieds
4. 12 200 pieds

(Les distances se mesurent du centre d'un repère au centre d'un autre repère avec une marge d'erreur de 100 pieds environ.)

Repérage d'emplacements (page 51)

1. Glenburnie
2. croisement (X 455)
3. croisement (432)
4. église (cimetière)
5. croisement (432)
6. colline (384)
7. route en T (441)
8. virage de la route
9. croisement (455)
10. source

Le cercle aux azimuts (page 87)

1. AEOUZP
2. EIULPA
3. IOLZAE
4. OUZPEI
5. ULPAIO
6. LZAEOU
7. ZPEIUL
8. PAIOLZ
9. AIUZAE
10. EOLPEI

Concours d'orientation à la boussole (page 91)

Départ du point 1: destination, point 7.
Départ du point 2: destination, point 19.
Départ du point 3: destination, point 2.
Départ du point 4: destination, point 8.
Départ du point 5: destination, point 16.
Départ du point 6: destination, point 8.
Départ du point 7: destination, point 8.
Départ du point 8: destination, point 9.
Départ du point 9: destination, point 15.
Départ du point 10: destination, point 19.

Le réglage de la boussole (page 113)

1. 94° 2. 4° 3. 292° 4. 262° 5. 224°

(Les lectures se font du centre d'un point de repère au centre d'un autre point de repère, avec une marge d'erreur de deux degrés environ.)

Que trouvez-vous? (page 114)

1. église
2. route en T, Glenburnie
3. sommet de Record Hill
4. route en T (381)
5. marécage

CARTES

Pages 220-221
Carte imprimée aux Etats-Unis, publiée avec la permission de *U.S. Geological Survey* et utilisée comme carte d'exercice. (Carte réduite).

Pages 222-223
Sections de la carte des pages 220 et 221, reproduites à l'échelle 1: 24 000 pour le besoin des exercices.

Page 224
Exemplaire d'une carte au 1: 20 000 conçue spécialement pour le sport d'orientation.

Page 225-227
Section d'une carte de Saint-Raphaël (province de Québec) au 1: 50 000, imprimée au Canada et reproduite avec la permission de la Direction des levés et de la cartographie, Ministère de l'Energie, des Mines et des Ressources.

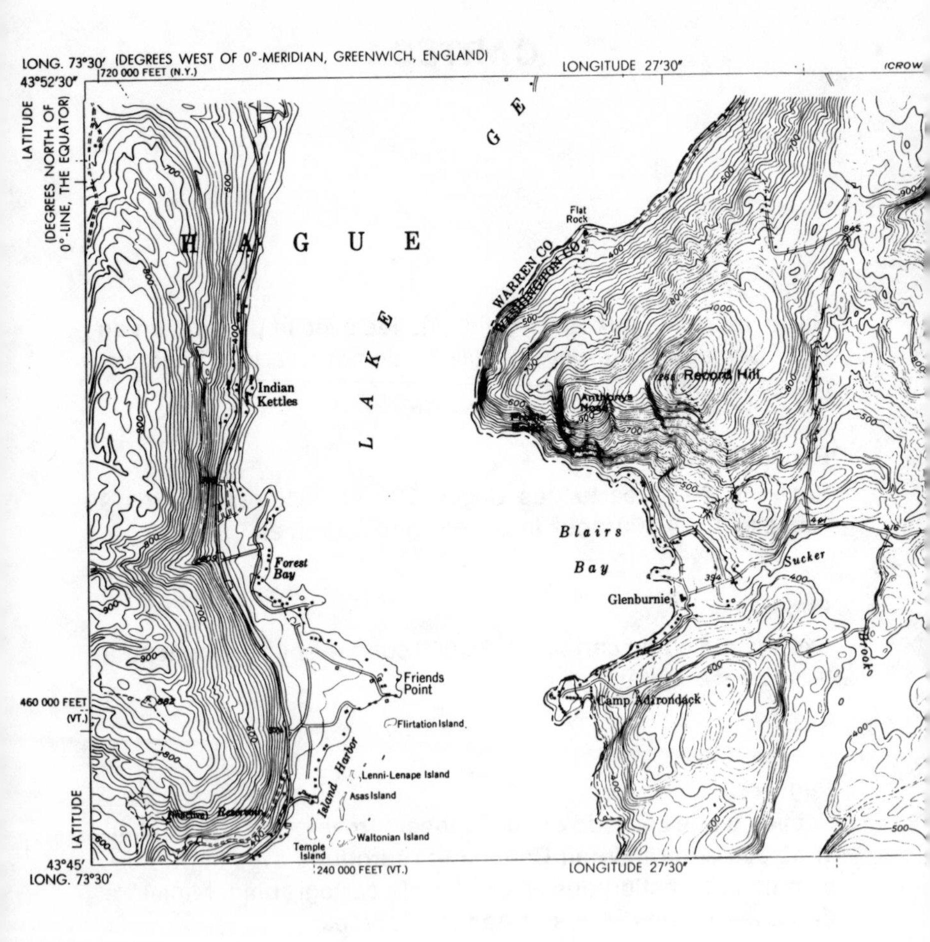

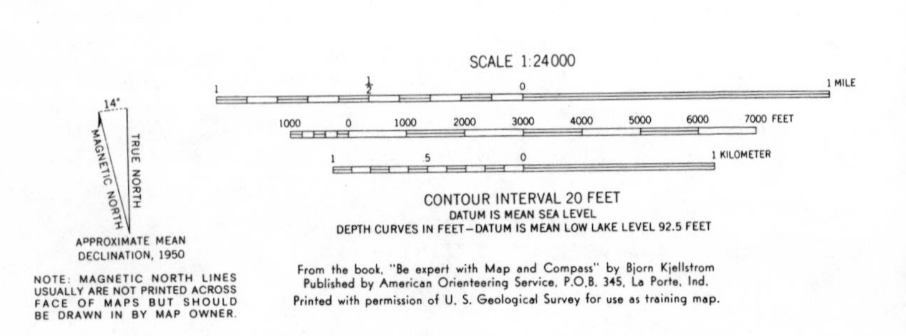

CONTOUR INTERVAL 20 FEET
DATUM IS MEAN SEA LEVEL
DEPTH CURVES IN FEET—DATUM IS MEAN LOW LAKE LEVEL 92.5 FEET

NOTE: MAGNETIC NORTH LINES USUALLY ARE NOT PRINTED ACROSS FACE OF MAPS BUT SHOULD BE DRAWN IN BY MAP OWNER.

From the book, "Be expert with Map and Compass" by Bjorn Kjellstrom
Published by American Orienteering Service, P.O.B. 345, La Porte, Ind.
Printed with permission of U. S. Geological Survey for use as training map.

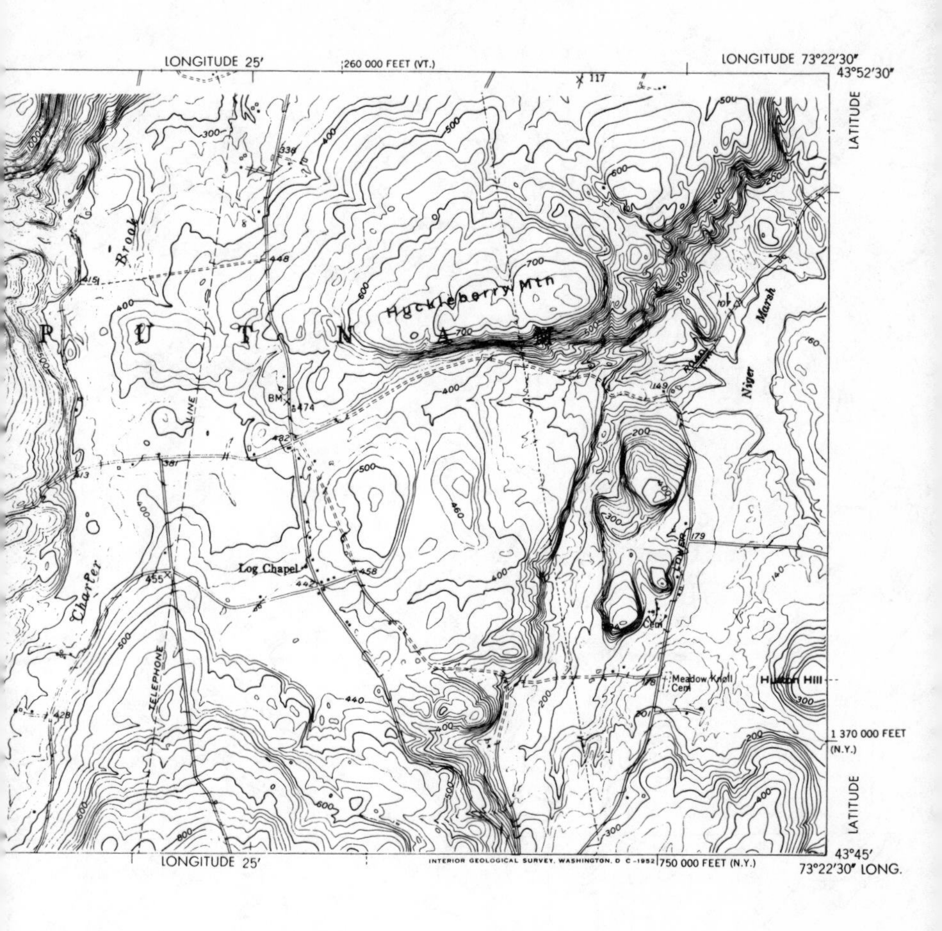
LONGITUDE 25′
260 000 FEET (VT.)
LONGITUDE 73°22′30″
43°52′30″
LATITUDE
Huckleberry Mtn
Brook
R U T L A N D
Charter
Log Chapel
TELEPHONE
LINE
Niger
Marsh
ROAD
LOWER
Meadow Knoll Cem
Hutton Hill
1 370 000 FEET (N.Y.)
LATITUDE
43°45′
73°22′30″ LONG.
LONGITUDE 25′
INTERIOR GEOLOGICAL SURVEY, WASHINGTON, D C -1952
750 000 FEET (N.Y.)

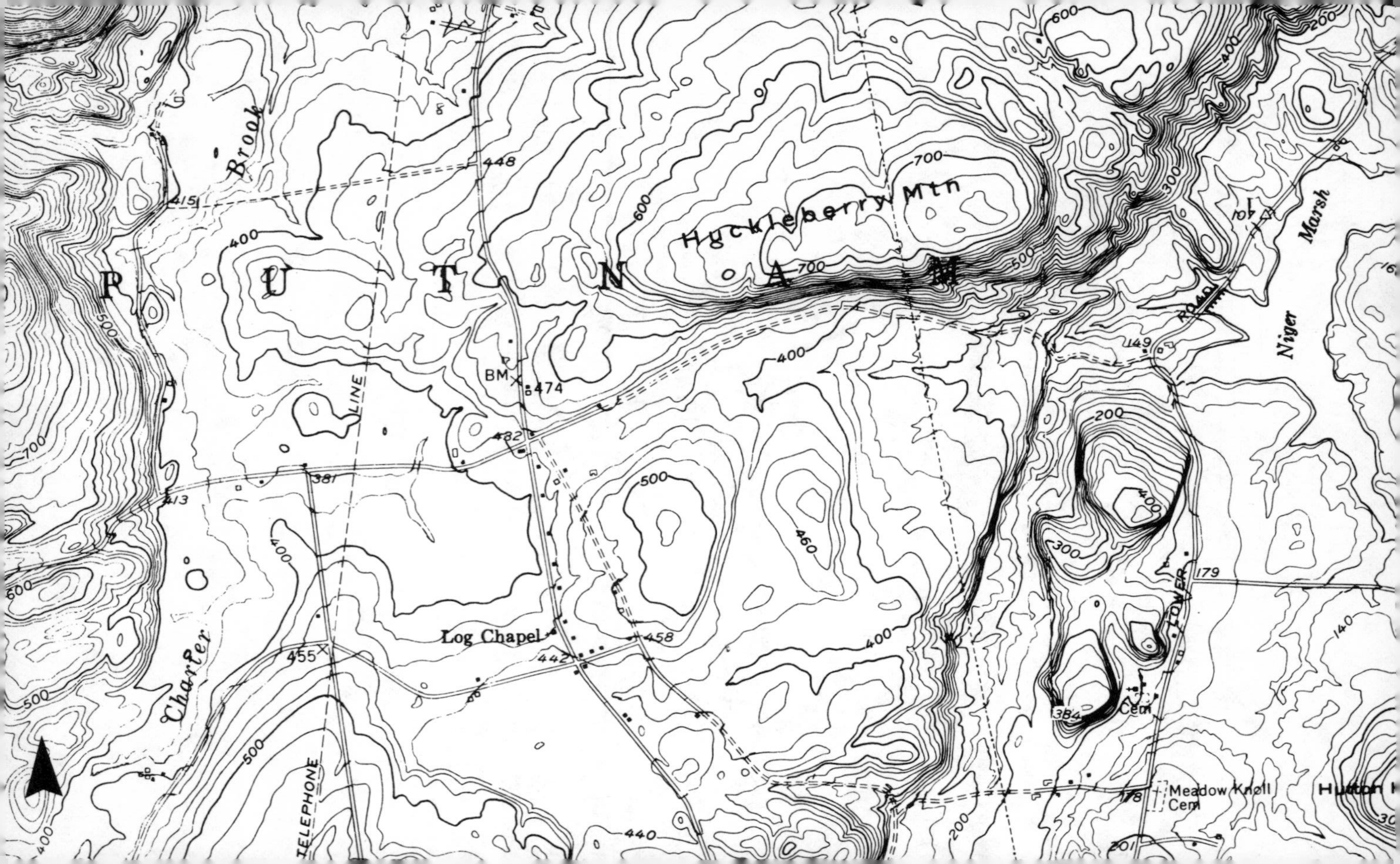

P U T N A M
Huckleberry Mtn
Niger Marsh
Lower Road
Meadow Knoll Cem
Cem
Log Chapel
BM 474
Charter Brook
TELEPHONE LINE

Flat Rock
Record Hill
1265
Anthonys Nose
Blairs Bay
Glenburnie
Camp Adirondack
Sucker Brook
Charter Brook
Brook
P U T N
Log Chapel
BM X 474
TELEPHONE LINE
845
415
413
381
432
448
441
416
394
455
442
458
440

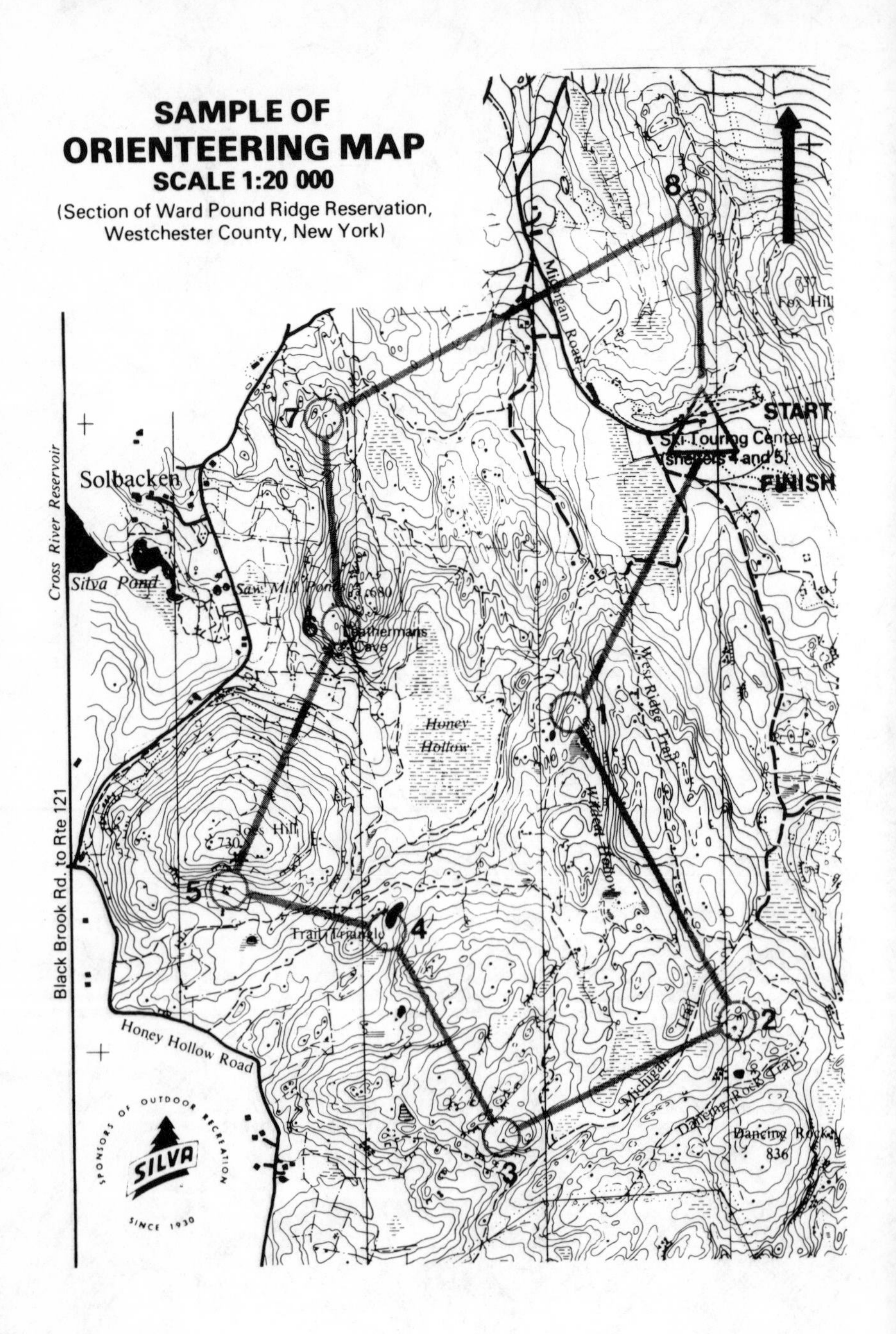
SAMPLE OF
ORIENTEERING MAP
SCALE 1:20 000
(Section of Ward Pound Ridge Reservation,
Westchester County, New York)
START
FINISH
Michigan Road
Fox Hill
Solbacken
Cross River Reservoir
Silva Pond
Saw Mill Pond
Honey Hollow
West Ridge Trail
Black Brook Rd. to Rte 121
Honey Hollow Road
Michigan Trail
Dancing Rock
836
SPONSORS OF OUTDOOR RECREATION
SILVA
SINCE 1930
1
2
3
4
5
6
7
8

Note: Nous reproduisons ici une partie de l'information qui aurait dû apparaître au bas de la carte des pages 226 et 227, mais qui n'y est pas, faute d'espace.

SAINT-RAPHAEL

QUÉBEC

Scale 1:50,000 Échelle

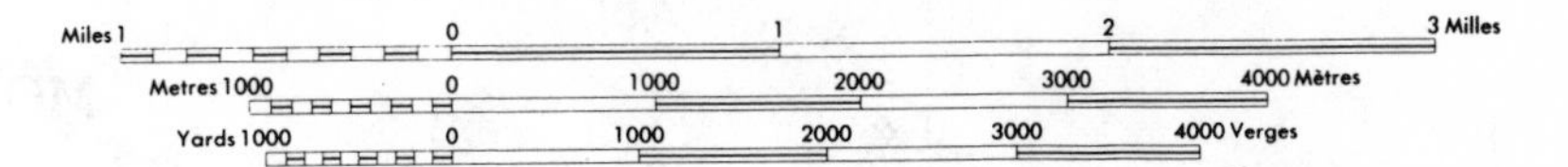

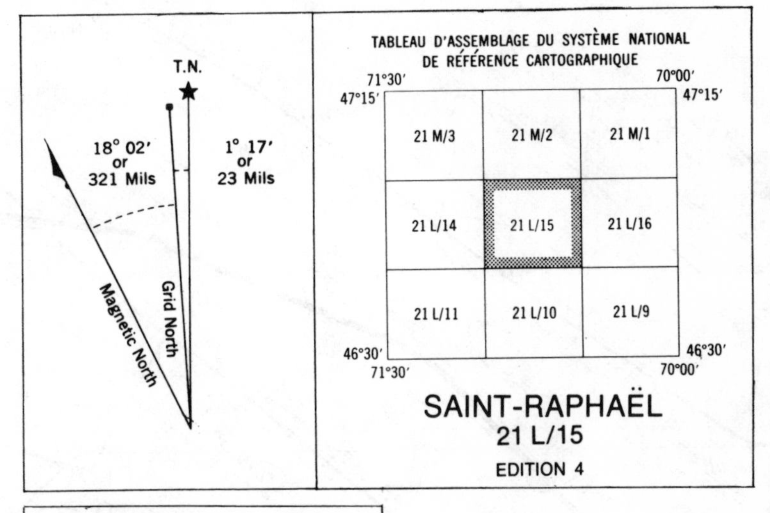

ÉQUIDISTANCE DES COURBES 25 PIEDS
Élévations en pieds au-dessus du niveau moyen de la mer
Système de référence géodésique nord-américain, 1927
Projection transverse de Mercator

Établie en 1968, par la DIRECTION DES LEVÉS ET DE LA CARTOGRAPHIE, MINISTÈRE DE L'ÉNERGIE, DES MINES ET DES RESSOURCES, d'après des photographies aériennes prises en 1965. Levés sur le terrain en 1965. Vérification des ouvrages en 1968. Imprimée en 1971.

Ces cartes sont en vente au Bureau de distribution des cartes, ministère de l'Énergie, des Mines et des Ressources, Ottawa.

EDITION 4

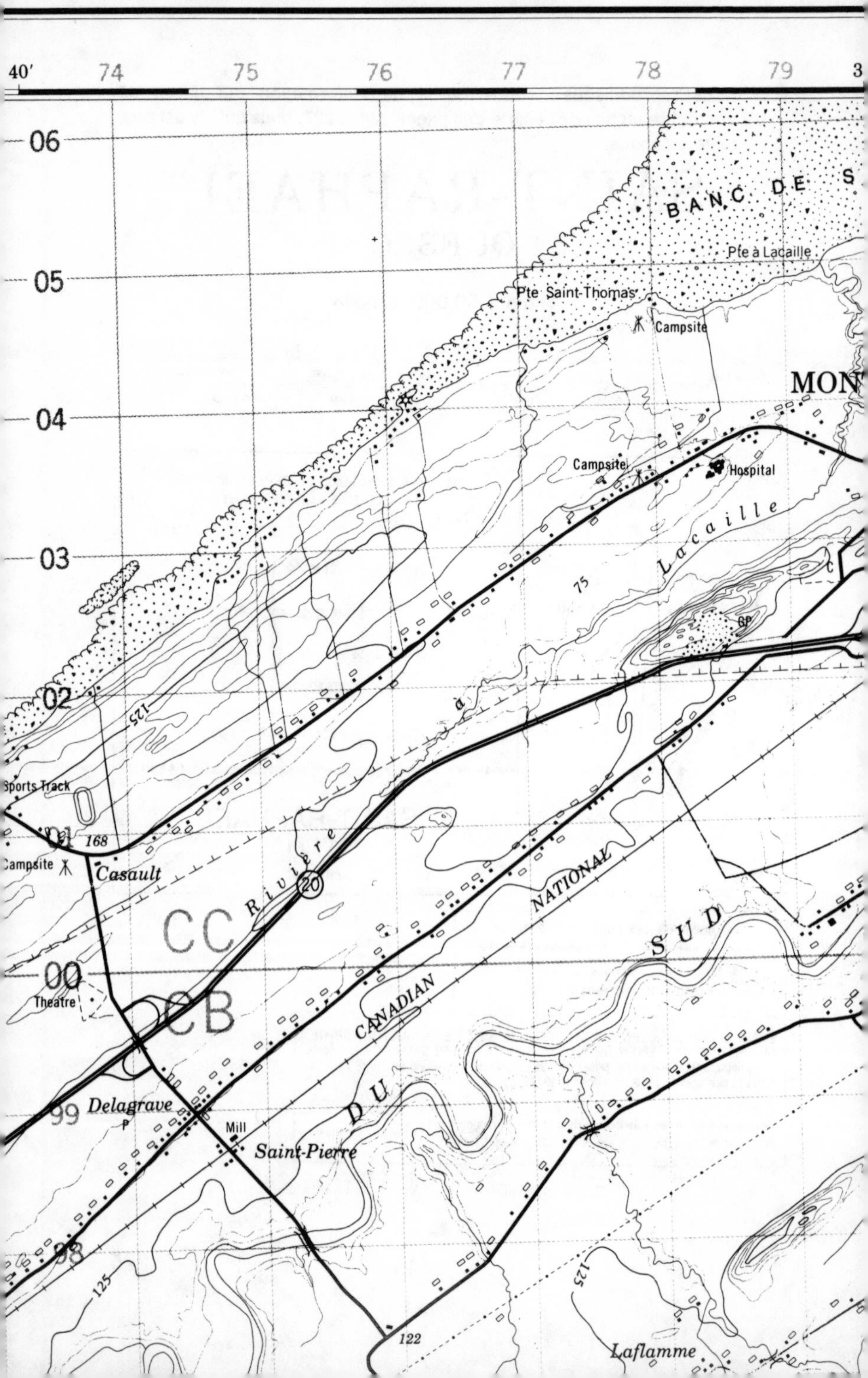

40′ 74 75 76 77 78 79 3

06
05
04
03
02
01
00
99
98

BANC DE S
Pte à Lacaille
Pte Saint-Thomas
Campsite
MON
Campsite
Hospital
Lacaille
75
GP
125
Sports Track
168
Campsite
Casault
Rivière à
20
NATIONAL
SUD
CC
Theatre
CB
CANADIAN
DU
Delagrave
P
Mill
Saint-Pierre
125
125
122
Laflamme

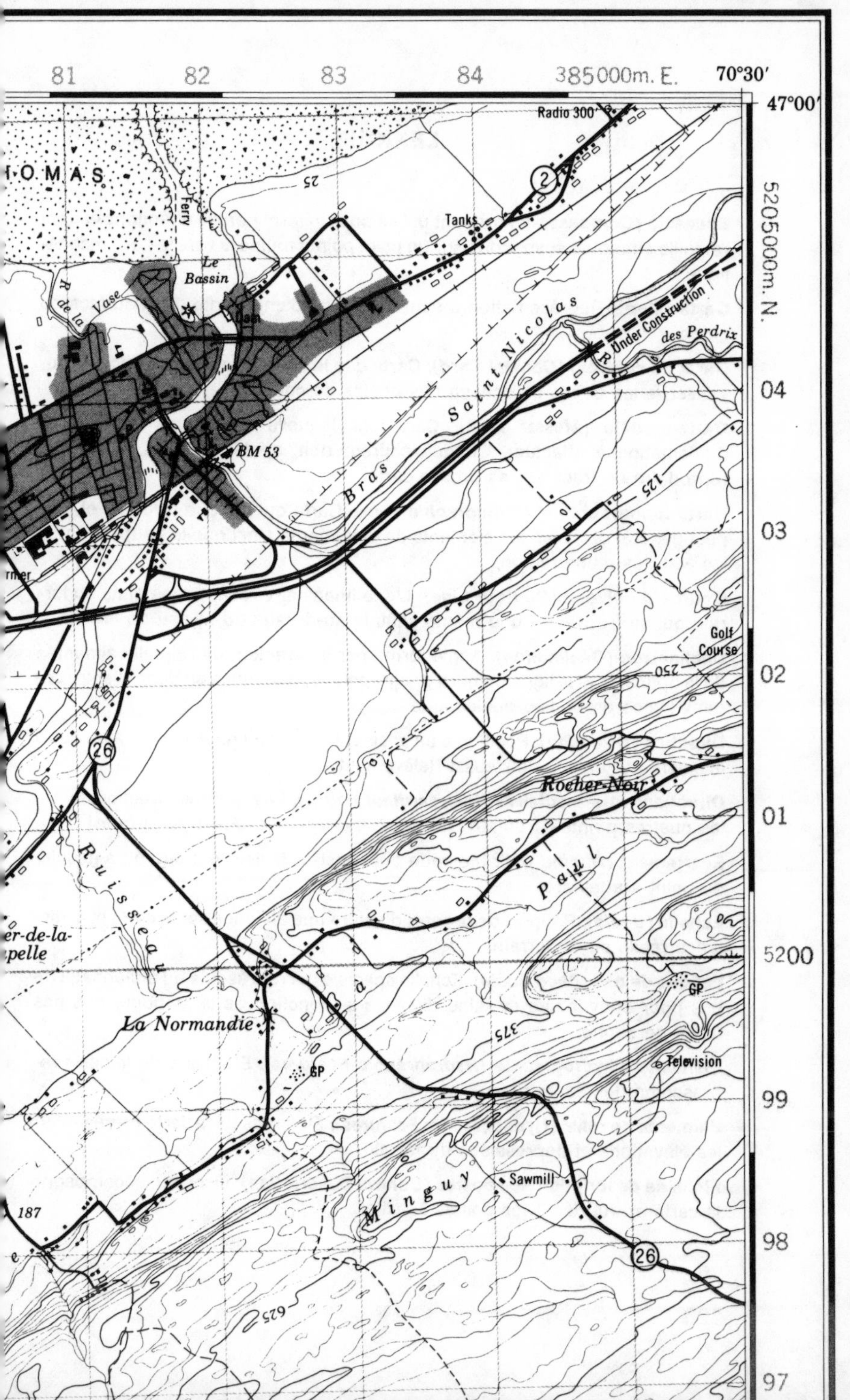
81
82
83
84
385000m. E.
70°30′
47°00′
5205000m. N.
04
03
02
01
5200
99
98
97
Radio 300′
Tanks
Ferry
Le Bassin
R de la Vase
Dam
BM 53
Bras Saint-Nicolas
Under Construction
R. des Perdrix
Golf Course
Rocher-Noir
Paul
Ruisseau
La Normandie
GP
Television
Sawmill
Minguy
26
2
187
125
250
375
625
25

LEXIQUE

Boussole ***(Compass):*** Instrument utilisé pour déterminer les directions et dont l'aiguille aimantée suspendue sur un pivot pointe toujours vers le nord magnétique.

Carte ***(Map):*** Représentation à échelle réduite d'une partie de la surface du globe.

Carte de contrôle ***(Control Card):*** Carte que le coureur emporte avec lui pour y inscrire les codes de chacun des postes de contrôle.

Carte-modèle ***(Master Map):*** Carte sur laquelle est inscrit le parcours d'orientation à effectuer. Chaque coureur doit, après le signal de départ, reproduire ce tracé sur sa propre carte.

Carte topographique ***(Topographic Map):*** Carte qui indique l'altitude et l'aspect général du relief, les éléments de planimétrie ainsi que le peuplement et les activités d'une région.

Courbe de niveau ***(Contour Line):*** Ligne imaginaire reliant des points du terrain qui se trouvent à une même altitude au-dessus du niveau de la mer.

Déclinaison ***(Declination):*** Angle formé par la direction de l'aiguille aimantée de la boussole et la ligne du nord géographique; différence en degrés entre ces deux lignes en un lieu quelconque.

Direction ***(Direction):*** Position d'un accident du terrain relativement à un autre accident du terrain. Voir aussi Relèvement.

Directions intermédiaires ***(Intercardinal Points):*** Les quatres directions entre les quatres points cardinaux: nord-est, sud-est, sud-ouest, nord-ouest.

Ecartement ***(Aiming Off):*** Méthode qui consiste à viser à droite ou à gauche du point à atteindre.

Echelle ***(Scale):*** Rapport de proportion entre une distance sur la carte et la distance réelle sur le terrain.

Echelle de pas ***(Pace Scale):*** Echelle spéciale qui représente un étalonnage de pas pour couvrir une certaine distance en fonction de la longueur des pas d'une personne.

Eléments d'hydrographie ***(Hydrographic Features):*** Eléments de la carte représentant les cours d'eau.

Eléments de relief ***(Hypsographic Features):*** Eléments de la carte représentant les élévations et dépressions du terrain.

Fiche de description des postes ***(Control Description):*** Fiche qui accompagne la carte et qui décrit les postes à visiter.

F.I.O. ***(I.O.F.):*** Fédération internationale d'*Orienteering.*

Flèche de direction ***(Direction-of-Travel Arrow):*** Flèche qui est reproduite sur la plaque de base de la boussole et qui pointe dans la direction de marche lorsque la boussole est orientée.

Flèche d'orientation ***(Orienting Arrow):*** Flèche ou doubles lignes parallèles reproduites dans le fond de l'habitacle de la boussole et utilisées pour orienter la boussole.

Habitacle ***(Housing):*** Boîtier de la boussole qui abrite l'aiguille aimantée.

Itinéraire ***(Route):*** Trajet à suivre entre deux postes de contrôle.

Latitude ***(Latitude):*** Distance angulaire exprimée en degrés, entre un point de la surface du globe et l'équateur.

Lignes de déclinaison magnétique ***(Magnetic Lines):*** Lignes tracées sur une carte en direction du Nord magnétique.

Longitude ***(Longitude):*** Distance angulaire, exprimée en degrés, entre un point de la surface du globe et le méridien d'origine.

Méridiens ***(Meridians):*** Lignes sur une carte ou lignes imaginaires sur le terrain reliant le pôle nord et le pôle sud.

Mesure des pas ***(Pace Counting):*** Etalonnage des enjambées sur une distance donnée.

Nord magnétique ***(Magnetic North):*** La direction indiquée par l'aiguille aimantée de la boussole.

Oeuvres de l'homme ***(Cultural Features):*** Eléments de planimétrie faits par l'homme, tels routes, maisons, clôtures, etc.

Orientation ***(Orientation):*** Opération qui consiste à reconnaître une position sur le terrain par rapport aux accidents de terrain environnants au moyen de la carte et de la boussole. Nom employé aussi pour désigner le sport d'orientation *(Orienteering)* ou course d'orientation.

Parcours ***(Leg):*** Trajet entre deux postes de contrôle.

Plaque de base ***(Base Plate):*** Plaque rectangulaire sur laquelle est monté l'habitacle de la boussole.

Poinçon ***(Control punch):*** Pince codée servant à poinçonner la carte de contrôle pour prouver le passage du coureur aux postes de contrôle.

Points cardinaux ***(Cardinal Points):*** Les quatres directions principales de la rose-des-vents reproduites sur la boussole: nord, sud, est, ouest.

Point d'attaque ***(Attack Point):*** Elément du paysage facile à identifier qui sert de dernier point de repère pour atteindre un poste de contrôle.

Point de repère ***(Landmark):*** Accident du terrain ou détail du paysage facilement reconnaissables: un grand arbre, un rocher, une église, un lac, etc.

Point de vérification *(Checkpoint):* Elément du paysage facile à repérer et qui permet au coureur de vérifier s'il est toujours sur la bonne route.

Poste de contrôle *(Control):* Lieu marqué d'une balise rouge et blanche et qui doit être visité par le coureur lors d'une course d'orientation.

Rapporteur *(Protractor):* Instrument employé pour mesurer les angles, généralement en degrés.

Relèvement *(Bearing):* Direction déterminée en degrés au moyen de la boussole.

Repère de conduite *(Steering Mark):* Elément de la nature, non identifié sur la carte, que le coureur utilise pour se diriger avec précision sur son azimut.

Repère parallèle *(Handrail):* Elément du paysage plus ou moins parallèle à la route suivie par le coureur.

Repère transversal *(Catching Feature):* Elément du paysage qui croise la route suivie par le coureur.

Signes conventionnels *(Map Symbols):* Signes adoptés pour reproduire sur une carte les accidents du terrain.

Sport d'orientation *(Orienteering):* Activité physique qui consiste à suivre un chemin dans la nature à l'aide d'une carte et d'une boussole; ce parcours peut s'effectuer sous forme récréative ou compétitive.

Renseignements complémentaires

OÙ PEUT-ON SE PROCURER DES CARTES TOPOGRAPHIQUES?

Canada:

Bureau de distribution des cartes,
Ministère de l'Energie, des Mines et des Ressources,
Ottawa, Canada.

Québec:

Service de la cartographie,
Ministère des Terres et Forêts,
Hotel du Gouvernement,
200 B Chemin Sainte-Foy,
Québec, G1R 4X7.

Etats-Unis:

Branch of Distribution,
United States Geological Survey,
1200 South Eads Street,
Arlington, Virginia 22202,
U.S.A.

France:

Service de vente des cartes de l'I.G.N.,
107, rue de la Béotie,
75008 Paris, France.

Belgique:

Institut Géographique Militaire,
13, Abbaye de La Cambre,
1050 Bruxelles,
Belgique.

ADRESSES DES FÉDÉRATIONS DE COURSE D'ORIENTATION

Canada:

Canadian Orienteering Federation,
355 River Road,
Ottawa, Ontario,
K1L 8B9.

Québec:

Orienteering Québec
1415 Jarry Est,
Montréal, Qué.,
H2E 2Z7.
374-4700

Etats-Unis:

U.S. Orienteering Federation,
P.O. Box 1039
Ballwin, Missouri 630 11
U.S.A.

Belgique:

Association belge de course d'orientation
a/s M. Du Roisin,
40 rue de la Brasserie,
4280 Hannut, Belgique.

France:

Fédération française de course d'orientation,
B.P. 173,
51200 Epernay, France.

Luxembourg:

Association de course d'orientation du Luxembourg,
Cité des Verger,
Résidence Beau-Lieu,
Ettelbruck, Luxembourg.

Suisse:

OL-Kommission des SLL,
Landstrasse, 56,
8803 Rüschlikon, Suisse.

Côte d'Ivoire:

Lieutenant Amouya Agro Julien,
Chef du Service Central des Sports Militaires,
Ministère Forces Armées,
B.P. 7,
Abidjan, Côte d'Ivoire.

Rwanda:

Major Esekalije, A.,
Attaché auprès du Minigarde Poma pour la Police Nationale,
B.P. 85,
Kigali, Rwanda.

Tunisie:

Mastouri Badreddine,
Académie Militaire de Fondouk,
Fondouk, Tunisie.

AUTRES ADRESSES UTILES

Pour plus de renseignements sur l'enseignement de l'orientation et sur le matériel disponible, vous pouvez vous adresser à:

Canada:

Orienteering Services/Canada,
446 McNicoll Avenue,
Willowdale, Ontario,
M2H 2E1.

Etats-Unis:

Orienteering Services/U.S.A.,
P.O.B. 547,
La Porte, Indiana 46350,
U.S.A.

Pour ce qui concerne le sport d'orientation ou course d'orientation, vous obtiendrez de plus amples renseignements auprès de votre Fédération. (Vous trouverez les adresses des Fédérations à la page 232.)

Certains films également, concernant l'utilisation de la carte et de la boussole et le sport d'orientation, sont disponibles à:

Canada:

Educational Film Distributors Ltd,
285 Lesmill Road,
Don Mills, Ontario,
M3B 2V1.

Etats-Unis:

The International Film Bureau,
332 South Michigan Avenue,
Chicago, Illinois 60604,
U.S.A.

AMERICAN ORIENTEERING SERVICES

Le Canadian Orienteering Service est une filiale de Silva Ltd. dont le siège social se trouve au 446, McNicoll Avenue, Willowdale, Ont. M2H 2E1. L'American Orienteering Service est la filiale américaine de Silva Co.; cette filiale est sise au 2466, North State Rd 39, LaPorte, Ind. 46350.

Cette filiale fut créée dans le but de coordonner les travaux entrepris par des organismes ou de simples particuliers dans le domaine de l'orientation, et afin de promouvoir et de mettre en valeur des méthodes éducatives plus efficaces sur la pratique et l'usage des cartes et de la boussole, L'A.O.S. fournit, à des prix modérés, le matériel nécessaire à l'enseignement de l'orientation.

Matériel disponible:

• Boussole d'exercice en plastique pour faire des relèvements, mais sans aiguille aimantée.

• Rapporteur d'exercice en papier mince transparent avec graduation et échelles.

• Carte-modèle, dimension 7" X 16", à l'échelle 1 : 24 000, section de la carte de U.S. Geological Survey, imprimée avec la permission de cet organisme (carte reproduite en réduction à la page 220).

• Feuilles pour les exercices suivants: Signes conventionnels (page 29), Lecture de positions (page 41) et l'exercice sur la rose-des-vents (page 69).

• Jeu: Concours à la boussole, comprenant un jeu de 20 cartes avec points, une carte avec les réponses et des instructions détaillées sur l'organisation et le déroulement du jeu.

• Trousse d'exercices (*Orienteering Training Kit*) pour chefs de patrouille, de troupe, chefs d'équipe, enseignants et instructeurs, comprenant un programme pour l'enseignement de la technique de l'orientation avec carte et boussole, des suggestions de jeux d'orientation, 6 séries de questionnaires sur l'utilisation des cartes et de la boussole (revision), 6 cartes d'exercice, 6 boussoles d'exercice, 6 rapporteurs d'exercice et un jeu de cartes pour le jeu: Concours à la boussole.

Une liste complète du matériel disponible ainsi que la liste des prix vous sera expédiée sur demande par l'American Orienteering Services.

TABLE DES MATIÈRES

Préface 5
Avant-propos 7
Introduction 9

Première partie: La carte 11

Qu'est-ce qu'une carte? 11
  Cartes routières 12
  Cartes topographiques 12
  Echelles 12
Quelles indications la carte nous fournit-elle? 14
  Description 16
  Détails 19
  Directions 35
  Distances 46
  Dénomination 49
Comment se diriger à l'aide d'une carte 52
  Parcours imaginaire 52
  Excursion, carte en main 60

Deuxième partie: La boussole **65**
Découverte de la boussole 65
Le nord magnétique 65
Perfectionnement de la boussole 66
Se déplacer au moyen de la boussole 71
La boussole ordinaire 71
La boussole perfectionnée 74
Sur le terrain 83
Parcours en trois manches 83
A vol d'oiseau 96
Vaincre les obstacles 97
Chasse et pêche 101

Troisième partie: Carte et boussole conjointement **109**
Premier essai d'orientation 109
Régler votre boussole 110
Les distances 113
La déclinaison 115
Nord géographique et nord magnétique 115
Importance de la déclinaison 118
L'art de l'orientation 123
Orientation sur le terrain 124
Un parcours imaginaire 127
Une véritable randonnée 137
Les régions sauvages 138

Quatrième partie: La course d'orientation **147**
Les sortes de courses d'orientation 149
Les variantes de la course d'orientation libre 149
La course d'orientation ordonnée (COO) 150
La course d'orientation aux points (COP) 152
La course d'orientation à relais (COR) 154
Les variantes de la course d'orientation dirigée 157
La course d'orientation non-balisée (CNB) 158
La course d'orientation avec tâches (COT) 159
La course d'orientation balisée (COB) 160
La course d'orientation en skis (COS) 161
Autres variantes 162
Votre première course d'orientation 162
Le départ 164
La carte de base 166

La course 167
La ligne d'arrivée 169
Conseils sur la course d'orientation en compétition 171
Choix de l'itinéraire 171
Parcours de l'itinéraire 177
Discussion après la course 187
Organisation d'une course d'orientation 187
Tracé du parcours d'une course d'orientation 189
Sélection du territoire 189
Le tracé du parcours — conception théorique 191
Le tracé du parcours — sur le terrain 199
Les cartes pour la course d'orientation 201
Les balises 204
Déroulement de la course 206
Les préliminaires 207
Le jour de la course 208
Conclusion 215
Réponses 216
Cartes 219
Lexique 228
Renseignements complémentaires 231

TABLE DES EXERCICES

Signes conventionnels ... 28
Symboles cartographiques ... 30
Dessin d'une carte fictive ... 31
Courbes de niveau ... 32
Association des formes de dénivellation ... 33
Lecture de positions ... 41
Les directions ... 43
Calcul des distances ... 48
Repérage d'emplacements ... 51
La chasse aux points de repère ... 61
Parcours jalonné ... 62
Compte-rendu ... 64
La rose-des-vents ... 68
Faire face aux directions ... 69
Repérez des directions chez vous ... 77
Déplacement avec boussole, sans repère ... 82
Chasse à la pièce d'un dollar en argent ... 85
Le cercle aux azimuts ... 87
Parcours réduit avec boussole ... 89
Concours d'orientation à la boussole ... 91
Marche d'orientation à la boussole ... 94
Le réglage de la boussole ... 113
Que trouvez-vous? ... 114

Lithographié au Canada
sur les presses de
Métropole Litho Inc.

Ouvrages parus aux ÉDITIONS DE L'HOMME

sans * pour l'Amérique du Nord seulement
*** pour l'Europe et l'Amérique du Nord**
**** pour l'Europe seulement**

ALIMENTATION — SANTÉ

Allergies, Les, Dr Pierre Delorme
* **Cellulite, La,** Dr Jean-Paul Ostiguy
Conseils de mon médecin de famille, Les, Dr Maurice Lauzon
Contrôler votre poids, Dr Jean-Paul Ostiguy
Diététique dans la vie quotidienne, La, Louise Lambert-Lagacé
Face-lifting par l'exercice, Le, Senta Maria Rungé
* **Guérir ses maux de dos,** Dr Hamilton Hall
* **Maigrir en santé,** Denyse Hunter
* **Maigrir, un nouveau régime de vie,** Edwin Bayrd
Massage, Le, Byron Scott
Médecine esthétique, La, Dr Guylaine Lanctôt
* **Régime pour maigrir,** Marie-Josée Beaudoin
* **Sport-santé et nutrition,** Dr Jean-Paul Ostiguy
* **Vivre jeune,** Myra Waldo

ART CULINAIRE

Agneau, L', Jehane Benoit
Art d'apprêter les restes, L', Suzanne Lapointe
* **Art de la cuisine chinoise, L',** Stella Chan
Art de la table, L', Marguerite du Coffre
Boîte à lunch, La, Louise Lambert-Lagacé
Bonne table, La, Juliette Huot
Brasserie la Mère Clavet vous présente ses recettes, La, Léo Godon
Canapés et amuse-gueule
101 omelettes, Claude Marycette
Cocktails de Jacques Normand, Les, Jacques Normand
Confitures, Les, Misette Godard
* **Congélation des aliments, La,** Suzanne Lapointe
* **Conserves, Les,** Soeur Berthe
* **Cuisine au wok, La,** Charmaine Solomon
Cuisine chinoise, La, Lizette Gervais
Cuisine de Maman Lapointe, La, Suzanne Lapointe
Cuisine de Pol Martin, La, Pol Martin
Cuisine des 4 saisons, La, Hélène Durand-LaRoche
* **Cuisine du monde entier, La,** Jehane Benoit
Cuisine en fête, La, Juliette Lassonde
Cuisine facile aux micro-ondes, Pauline Saint-Amour
* **Cuisine micro-ondes, La,** Jehane Benoit
Desserts diététiques, Claude Poliquin
Du potager à la table, Paul Pouliot, Pol Martin
En cuisinant de 5 à 6, Juliette Huot
* **Faire son pain soi-même,** Janice Murray Gill
* **Fèves, haricots et autres légumineuses,** Tess Mallos
Fondue et barbecue
* **Fondues et flambées de Maman Lapointe,** S. et L. Lapointe
Fruits, Les, John Goode
Gastronomie au Québec, La, Abel Benquet
Grande cuisine au Pernod, La, Suzanne Lapointe
Grillades, Les
* **Guide complet du barman, Le,** Jacques Normand
Hors-d'oeuvre, salades et buffets froids, Louis Dubois

Légumes, Les, John Goode
Liqueurs et philtres d'amour, Hélène Morasse
Ma cuisine maison, Jehane Benoit
Madame reçoit, Hélène Durand-LaRoche
* **Menu de santé,** Louise Lambert-Lagacé
Pâtes à toutes les sauces, Les, Lucette Lapointe
Pâtisserie, La, Maurice-Marie Bellot
Petite et grande cuisine végétarienne, Manon Bédard
Poissons et crustacés
Poissons et fruits de mer, Soeur Berthe
* **Poulet à toutes les sauces, Le,** Monique Thyraud de Vosjoli
Recettes à la bière des grandes cuisines Molson, Les, Marcel L. Beaulieu
Recettes au blender, Juliette Huot
Recettes de gibier, Suzanne Lapointe
Recettes de Juliette, Les, Juliette Huot
Recettes pour aider à maigrir, Dr Jean-Paul Ostiguy
Robot culinaire, Le, Pol Martin
Sauces pour tous les plats, Huguette Gaudette, Suzanne Colas
* **Techniques culinaires, Les,** Soeur Berthe
* **Une cuisine sage,** Louise Lambert-Lagacé
Vins, cocktails et spiritueux, Gilles Cloutier
Y'a du soleil dans votre assiette, Francine Georget

DOCUMENTS — BIOGRAPHIES

Art traditionnel au Québec, L', M. Lessard et H. Marquis
Artisanat québécois, T. I, Cyril Simard
Artisanat québécois, T. II, Cyril Simard
Artisanat québécois, T. III, Cyril Simard
Bien pensants, Les, Pierre Berton
Charlebois, qui es-tu? Benoît L'Herbier
Comité, Le, M. et P. Thyraud de Vosjoli
Daniel Johnson, T. I, Pierre Godin
Daniel Johnson, T. II, Pierre Godin
Deux innocents en Chine Rouge, Jacques Hébert, Pierre E. Trudeau
Duplessis, l'ascension, T. I, Conrad Black
Duplessis, le pouvoir, T. II, Conrad Black
Dynastie des Bronfman, La, Peter C. Newman
Écoles de rang au Québec, Les, Jacques Dorion
* **Ermite, L',** T. Lobsang Rampa
Establishment canadien, L', Peter C. Newman
Fabuleux Onassis, Le, Christian Cafarakis
Filière canadienne, La, Jean-Pierre Charbonneau
Frère André, Le, Micheline Lachance
Insolences du frère Untel, Les, Frère Untel
Invasion du Canada L', T. I, Pierre Berton
Invasion du Canada L', T. II, Pierre Berton
John A. Macdonald, T. I, Donald Creighton
John A. Macdonald, T. II, Donald Creighton
Lamia, P.L. Thyraud de Vosjoli
Magadan, Michel Solomon
Maison traditionnelle au Québec, La, M. Lessard, G. Vilandré
Mammifères de mon pays, Les, St-Denys-Duchesnay-Dumais
Masques et visages du spiritualisme contemporain, Julius Evola
Mastantuono, M. Mastantuono, M. Auger
Mon calvaire roumain, Michel Solomon
Moulins à eau de la vallée du St-Laurent, Les, F. Adam-Villeneuve, C. Felteau
Mozart raconté en 50 chefs-d'oeuvre, Paul Roussel
Nos aviateurs, Jacques Rivard
Nos soldats, George F.G. Stanley
Nouveaux Riches, Les, Peter C. Newman
Objets familiers de nos ancêtres, Les, Vermette, Genêt, Décarie-Audet
Oui, René Lévesque
* **OVNI,** Yurko Bondarchuck
Papillons du Québec, Les, B. Prévost et C. Veilleux
Patronage et patroneux, Alfred Hardy
Petite barbe, j'ai vécu 40 ans dans le Grand Nord, La, André Steinmann
* **Pour entretenir la flamme,** T. Lobsang Rampa
Prague, l'été des tanks, Desgraupes, Dumayet, Stanké
Prince de l'Église, le cardinal Léger, Le, Micheline Lachance

Provencher, le dernier des coureurs de bois, Paul Provencher
Réal Caouette, Marcel Huguet
Révolte contre le monde moderne, Julius Evola
Struma, Le, Michel Solomon
Temps des fêtes au Québec, Le, Raymond Montpetit
Terrorisme québécois, Le, Dr Gustave Morf
* **Treizième chandelle, La,** T. Lobsang Rampa
Troisième voie, La, Me Emile Colas
Trois vies de Pearson, Les, J.-M. Poliquin, J.R. Beal
Trudeau, le paradoxe, Anthony Westell
Vizzini, Sal Vizzini
Vrai visage de Duplessis, Le, Pierre Laporte

ENCYCLOPÉDIES

Encyclopédie de la chasse au Québec, Bernard Leiffet
Encyclopédie de la maison québécoise, M. Lessard, H. Marquis
* **Encyclopédie de la santé de l'enfant, L',** Richard I. Feinbloom
Encyclopédie des antiquités du Québec, M. Lessard, H. Marquis
Encyclopédie des oiseaux du Québec, W. Earl Godfrey
Encyclopédie du jardinier horticulteur, W.H. Perron
Encyclopédie du Québec, vol. I, Louis Landry
Encyclopédie du Québec, vol. II, Louis Landry

ENFANCE ET MATERNITÉ

* **Aider son enfant en maternelle et en 1ère année,** Louise Pedneault-Pontbriand
* **Aider votre enfant à lire et à écrire,** Louise Doyon-Richard
Avoir un enfant après 35 ans, Isabelle Robert
* **Comment avoir des enfants heureux,** Jacob Azerrad
Comment amuser nos enfants, Louis Stanké
* **Comment nourrir son enfant,** Louise Lambert-Lagacé
* **Découvrez votre enfant par ses jeux,** Didier Calvet
Des enfants découvrent l'agriculture, Didier Calvet
* **Développement psychomoteur du bébé, Le,** Didier Calvet
* **Douze premiers mois de mon enfant, Les,** Frank Caplan
Droits des futurs parents, Les, Valmai Howe Elkins
* **En attendant notre enfant,** Yvette Pratte-Marchessault
Enfant unique, L', Ellen Peck
* **Éveillez votre enfant par des contes,** Didier Calvet
* **Exercices et jeux pour enfants,** Trude Sekely
Femme enceinte, La, Dr Robert A. Bradley
Futur père, Yvette Pratte-Marchessault
* **Jouons avec les lettres,** Louise Doyon-Richard
* **Langage de votre enfant, Le,** Claude Langevin
Maman et son nouveau-né, La, Trude Sekely
Merveilleuse histoire de la naissance, Dr Lionel Gendron
Pour bébé, le sein ou le biberon, Yvette Pratte-Marchessault
Pour vous future maman, Trude Sekely
* **Préparez votre enfant à l'école,** Louise Doyon-Richard
* **Psychologie de l'enfant, La,** Françoise Cholette-Pérusse
* **Tout se joue avant la maternelle,** Isuba Mansuka
* **Trois premières années de mon enfant, Les,** Dr Burton L. White
* **Une naissance apprivoisée,** Edith Fournier, Michel Moreau

LANGUE

Améliorez votre français, Jacques Laurin
* **Anglais par la méthode choc, L',** Jean-Louis Morgan

Corrigeons nos anglicismes, Jacques Laurin
* **J'apprends l'anglais,** G. Silicani et J. Grisé-Allard
Notre français et ses pièges, Jacques Laurin
Petit dictionnaire du joual au français, Augustin Turennes
Verbes, Les, Jacques Laurin

LITTÉRATURE

Adieu Québec, André Bruneau
Allocutaire, L', Gilbert Langlois
Arrivants, Les, collaboration
Berger, Les, Marcel Cabay-Marin
Bigaouette, Raymond Lévesque
Carnivores, Les, François Moreau
Carré St-Louis, Jean-Jules Richard
Centre-ville, Jean-Jules Richard
Chez les termites, Madeleine Ouellette-Michalska
Commettants de Caridad, Les, Yves Thériault
Danka, Marcel Godin
Débarque, La, Raymond Plante
Domaine Cassaubon, Le, Gilbert Langlois
Doux mal, Le, Andrée Maillet
D'un mur à l'autre, Paul-André Bibeau
Emprise, L', Gaétan Brulotte
Engrenage, L', Claudine Numainville
En hommage aux araignées, Esther Rochon
Faites de beaux rêves, Jacques Poulin
Fuite immobile, La, Gilles Archambault
J'parle tout seul quand Jean Narrache, Émile Coderre
Jeu des saisons, Le, Madeleine Ouellette-Michalska
Marche des grands cocus, La, Roger Fournier
Monde aime mieux..., Le, Clémence Desrochers
Mourir en automne, Claude DeCotret
N'Tsuk, Yves Thériault
Neuf jours de haine, Jean-Jules Richard
New medea, Monique Bosco
Outaragasipi, L', Claude Jasmin
Petite fleur du Vietnam, La, Clément Gaumont
Pièges, Jean-Jules Richard
Porte silence, Paul-André Bibeau
Requiem pour un père, François Moreau
Si tu savais..., Georges Dor
Tête blanche, Marie-Claire Blais
Trou, Le, Sylvain Chapdeleine
Visages de l'enfance, Les, Dominique Blondeau

LIVRES PRATIQUES — LOISIRS

Améliorons notre bridge, Charles A. Durand
* **Art du dressage de défense et d'attaque, L',** Gilles Chartier
* **Art du pliage du papier, L',** Robert Harbin
* **Baladi, Le,** Micheline d'Astous
* **Ballet-jazz, Le,** Allen Dow et Mike Michaelson
* **Belles danses, Les,** Allen Dow et Mike Michaelson
Bien nourrir son chat, Christian d'Orangeville
Bien nourrir son chien, Christian d'Orangeville
Bonnes idées de maman Lapointe, Les, Lucette Lapointe
* **Bridge, Le,** Vivianne Beaulieu
Budget, Le, en collaboration
Choix de carrières, T. I, Guy Milot
Choix de carrières, T. II, Guy Milot
Choix de carrières, T. III, Guy Milot
Collectionner les timbres, Yves Taschereau
Comment acheter et vendre sa maison, Lucile Brisebois
Comment rédiger son curriculum vitae, Julie Brazeau
Comment tirer le maximum d'une mini-calculatrice, Henry Mullish
Conseils aux inventeurs, Raymond-A. Robic
Construire sa maison en bois rustique, D. Mann et R. Skinulis
Crochet jacquard, Le, Brigitte Thérien
Cuir, Le, L. St-Hilaire, W. Vogt
* **Découvrir son ordinateur personnel,** François Faguy
Dentelle, La, Andrée-Anne de Sève
Dentelle II, La, Andrée-Anne de Sève
Dictionnaire des affaires, Le, Wilfrid Lebel

* **Dictionnaire des mots croisés — noms communs,** Paul Lasnier
* **Dictionnaire des mots croisés — noms propres,** Piquette-Lasnier-Gauthier
Dictionnaire économique et financier, Eugène Lafond
* **Dictionnaire raisonné des mots croisés,** Jacqueline Charron
Emploi idéal en 4 minutes, L', Geoffrey Lalonde
Étiquette du mariage, L', Marcelle Fortin-Jacques
Faire son testament soi-même, Me G. Poirier et M. Nadeau Lescault
Fins de partie aux dames, H. Tranquille et G. Lefebvre
Fléché, Le, F. Bourret, L. Lavigne
Frivolité, La, Alexandra Pineault-Vaillancourt
Gagster, Claude Landré
Guide complet de la couture, Le, Lise Chartier
* **Guide complet des cheveux, Le,** Phillip Kingsley
Guide du chauffage au bois, Le, Gordon Flagler
* **Guitare, La,** Peter Collins
Hypnotisme, L', Jean Manolesco
* **J'apprends à dessiner,** Joanna Nash
Jeu de la carte et ses techniques, Le, Charles A. Durand
Jeux de cartes, Les, George F. Hervey
* **Jeux de dés, Les,** Skip Frey
Jeux d'hier et d'aujourd'hui, S. Lavoie et Y. Morin
* **Jeux de société,** Louis Stanké
* **Jouets, Les,** Nicole Bolduc
* **Lignes de la main, Les,** Louis Stanké
Loi et vos droits, La, Me Paul-Émile Marchand
Magie et tours de passe-passe, Ian Adair
Magie par la science, La, Walter B. Gibson
* **Manuel de pilotage**
Marionnettes, Les, Roger Régnier
Mécanique de mon auto, La, Time Life Books
* **Mon chat, le soigner, le guérir,** Christian d'Orangeville
Nature et l'artisanat, La, Soeur Pauline Roy
* **Noeuds, Les,** George Russel Shaw
Nouveau guide du propriétaire et du locataire, Le, Mes M. Bolduc, M. Lavigne, J. Giroux
* **Ouverture aux échecs, L',** Camille Coudari
Papier mâché, Le, Roger Régnier
P'tite ferme, les animaux, La, Jean-Claude Trait
Petit manuel de la femme au travail, Lise Cardinal
Poids et mesures, calcul rapide, Louis Stanké
Races de chats, chats de race, Christian d'Orangeville
Races de chiens, chiens de race, Christian d'Orangeville
Roulez sans vous faire rouler, T. I, Philippe Edmonston
Roulez sans vous faire rouler, T. II, le guide des voitures d'occasion, Philippe Edmonston
Savoir-vivre d'aujourd'hui, Le, Marcelle Fortin-Jacques
Savoir-vivre, Nicole Germain
Scrabble, Le, Daniel Gallez
Secrétaire bilingue, Le/la, Wilfrid Lebel
Secrétaire efficace, La, Marian G. Simpsons
Tapisserie, La, T.M. Perrier, N.B. Langlois
* **Taxidermie, La,** Jean Labrie
Tenir maison, Françoise Gaudet-Smet
Terre cuite, Robert Fortier
Tissage, Le, G. Galarneau, J. Grisé-Allard
Tout sur le macramé, Virginia I. Harvey
Trouvailles de Clémence, Les, Clémence Desrochers
2001 trucs ménagers, Lucille Godin
Vive la compagnie, Pierre Daigneault
Vitrail, Le, Claude Bettinger
Voir clair aux dames, H. Tranquille, G. Lefebvre
* **Voir clair aux échecs,** Henri Tranquille
* **Votre avenir par les cartes,** Louis Stanké
Votre discothèque, Paul Roussel

PHOTOGRAPHIE

* **8/super 8/16,** André Lafrance
* **Apprendre la photo de sport,** Denis Brodeur
* **Apprenez la photographie avec Antoine Desilets**
* **Chasse photographique, La,** Louis-Philippe Coiteux
* **Découvrez le monde merveilleux de la photographie,** Antoine Desilets
* **Je développe mes photos,** Antoine Desilets

* **Guide des accessoires et appareils photos, Le,** Antoine Desilets, Paul Taillefer
* **Je prends des photos,** Antoine Desilets
* **Photo à la portée de tous, La,** Antoine Desilets
* **Photo de A à Z, La,** Desilets, Coiteux, Gariépy
* **Photo Reportage,** Alain Renaud
* **Technique de la photo, La,** Antoine Desilets

PLANTES ET JARDINAGE

Arbres, haies et arbustes, Paul Pouliot
Automne, le jardinage aux quatre saisons, Paul Pouliot
* **Décoration intérieure par les plantes, La,** M. du Coffre, T. Debeur

Été, le jardinage aux quatre saisons, Paul Pouliot
Guide complet du jardinage, Le, Charles L. Wilson
Hiver, le jardinage aux quatre saisons, Paul Pouliot
Jardins d'intérieur et serres domestiques, Micheline Lachance
Jardin potager, la p'tite ferme, Le, Jean-Claude Trait
Je décore avec des fleurs, Mimi Bassili
Plantes d'intérieur, Les, Paul Pouliot
Printemps, le jardinage aux quatre saisons, Paul Pouliot
Techniques du jardinage, Les, Paul Pouliot
* **Terrariums, Les,** Ken Kayatta et Steven Schmidt

Votre pelouse, Paul Pouliot

PSYCHOLOGIE

Âge démasqué, L', Hubert de Ravinel
* **Aider mon patron à m'aider,** Eugène Houde
* **Amour, de l'exigence à la préférence, L',** Lucien Auger

Caractères et tempéraments, Claude-Gérard Sarrazin
* **Coeur à l'ouvrage, Le,** Gérald Lefebvre
* **Comment animer un groupe,** collaboration
* **Comment déborder d'énergie,** Jean-Paul Simard
* **Comment vaincre la gêne et la timidité,** René-Salvator Catta
* **Communication dans le couple, La,** Luc Granger
* **Communication et épanouissement personnel,** Lucien Auger

Complexes et psychanalyse, Pierre Valinieff
* **Contact,** Léonard et Nathalie Zunin
* **Courage de vivre, Le,** Dr Ari Kiev

Dynamique des groupes, J.M. Aubry, Y. Saint-Arnaud
* **Émotivité et efficacité au travail,** Eugène Houde
* **Être soi-même,** Dorothy Corkille Briggs
* **Facteur chance, Le,** Max Gunther
* **Fantasmes créateurs, Les,** J.L. Singer, E. Switzer

Frères — Soeurs, la rivalité fraternelle, Dr J.F. McDermott, Jr
* **Hypnose, bluff ou réalité?,** Alain Marillac
* **Interprétez vos rêves,** Louis Stanké
* **J'aime,** Yves Saint-Arnaud
* **Mise en forme psychologique, La,** Richard Corriere et Joseph Hart
* **Parle moi... j'ai des choses à te dire,** Jacques Salomé

Penser heureux, Lucien Auger
* **Personne humaine, La,** Yves Saint-Arnaud
* **Première impression, La,** Chris. L. Kleinke
* **Psychologie de l'amour romantique, La,** Dr Nathaniel Branden
* **S'affirmer et communiquer,** J.-M. Boisvert, M. Beaudry
* **S'aider soi-même,** Lucien Auger
* **S'aider soi-même davantage,** Lucien Auger
* **S'aimer pour la vie,** Dr Zev Wanderer et Erika Fabian
* **Savoir organiser, savoir décider,** Gérald Lefebvre
* **Savoir relaxer pour combattre le stress,** Dr Edmund Jacobson
* **Se changer,** Michael J. Mahoney
* **Se comprendre soi-même,** collaboration
* **Se concentrer pour être heureux,** Jean-Paul Simard

* **Se connaître soi-même,** Gérard Artaud
* **Se contrôler par le biofeedback,** Paultre Ligondé
* **Se créer par la gestalt,** Joseph Zinker

Se guérir de la sottise, Lucien Auger
S'entraider, Jacques Limoges
Séparation du couple, La, Dr Robert S. Weiss
* **Trouver la paix en soi et avec les autres,** Dr Theodor Rubin
* **Vaincre ses peurs,** Lucien Auger
* **Vivre avec sa tête ou avec son coeur,** Lucien Auger

Volonté, l'attention, la mémoire, La, Robert Tocquet
Votre personnalité, caractère..., Yves Benoit Morin
* **Vouloir c'est pouvoir,** Raymond Hull

Yoga, corps et pensée, Bruno Leclercq
Yoga des sphères, Le, Bruno Leclercq

SEXOLOGIE

* **Avortement et contraception,** Dr Henry Morgentaler
* **Bien vivre sa ménopause,** Dr Lionel Gendron
* **Comment séduire les femmes,** E. Weber, M. Cochran
* **Comment séduire les hommes,** Nicole Ariana

Fais voir! W. McBride et Dr H.F.-Hardt
* **Femme enceinte et la sexualité, La,** Elizabeth Bing, Libby Colman

Femme et le sexe, La, Dr Lionel Gendron
* **Guide gynécologique de la femme moderne, Le,** Dr Sheldon H. Sherry

Helga, Eric F. Bender
Homme et l'art érotique, L', Dr Lionel Gendron
Maladies transmises sexuellement, Les, Dr Lionel Gendron
Qu'est-ce qu'un homme? Dr Lionel Gendron
Quel est votre quotient psycho-sexuel? Dr Lionel Gendron
* **Sexe au féminin, Le,** Carmen Kerr

Sexualité, La, Dr Lionel Gendron
* **Sexualité du jeune adolescent, La,** Dr Lionel Gendron

Sexualité dynamique, La, Dr Paul Lefort
* **Ta première expérience sexuelle,** Dr Lionel Gendron et A.-M. Ratelle
* **Yoga sexe,** S. Piuze et Dr L. Gendron

SPORTS

ABC du hockey, L', Howie Meeker
* **Aïkido — au-delà de l'agressivité,** M. N.D. Villadorata et P. Grisard

Apprenez à patiner, Gaston Marcotte
* **Armes de chasse, Les,** Charles Petit-Martinon
* **Badminton, Le,** Jean Corbeil

Ballon sur glace, Le, Jean Corbeil
Bicyclette, La, Jean Corbeil
* **Canoé-kayak, Le,** Wolf Ruck
* **Carte et boussole,** Björn Kjellström

100 trucs de billard, Pierre Morin
Chasse et gibier du Québec, Greg Guardo, Raymond Bergeron
Chasseurs sachez chasser, Lucien B. Lapierre
* **Comment se sortir du trou au golf,** L. Brien et J. Barrette
* **Comment vivre dans la nature,** Bill Riviere
* **Conditionnement physique, Le,** Chevalier-Laferrière-Bergeron
* **Corrigez vos défauts au golf,** Yves Bergeron

Corrigez vos défauts au jogging, Yves Bergeron
Danse aérobique, La, Barbie Allen
* **En forme après 50 ans,** Trude Sekely
* **En superforme par la méthode de la NASA,** Dr Pierre Gravel

Entraînement par les poids et haltères, Frank Ryan
Équitation en plein air, L', Jean-Louis Chaumel
Exercices pour rester jeune, Trude Sekely
* **Exercices pour toi et moi,** Joanne Dussault-Corbeil

Femme et le karaté samouraï, La, Roger Lesourd
Guide du judo (technique debout), Le, Louis Arpin
* **Guide du self-defense, Le,** Louis Arpin
* **Guide de survie de l'armée américaine, Le**

Guide du trappeur, Paul Provencher
Initiation à la plongée sous-marine, René Goblot

* **J'apprends à nager,** Régent LaCoursière
* **Jogging, Le,** Richard Chevalier
Jouez gagnant au golf, Luc Brien, Jacques Barrette
* **Jouons ensemble,** P. Provost, M.J. Villeneuve
* **Karaté, Le,** André Gilbert
* **Karaté Sankukai, Le,** Yoshinao Nanbu
Larry Robinson, le jeu défensif au hockey, Larry Robinson
Lutte olympique, La, Marcel Sauvé, Ronald Ricci
* **Marathon pour tous, Le,** P. Anctil, D. Bégin, P. Montuoro
Marche, La, Jean-François Pronovost
Maurice Richard, l'idole d'un peuple, Jean-Marie Pellerin
* **Médecine sportive, La,** M. Hoffman et Dr G. Mirkin
Mon coup de patin, le secret du hockey, John Wild
* **Musculation pour tous, La,** Serge Laferrière
Nadia, Denis Brodeur et Benoît Aubin
Natation de compétition, La, Régent LaCoursière
Navigation de plaisance au Québec, La, R. Desjardins et A. Ledoux
Mes observations sur les insectes, Paul Provencher
Mes observations sur les mammifères, Paul Provencher
Mes observations sur les oiseaux, Paul Provencher
Mes observations sur les poissons, Paul Provencher
Passes au hockey, Les, Chapleau-Frigon-Marcotte
Parachutisme, Le, Claude Bédard
Pêche à la mouche, La, Serge Marleau
Pêche au Québec, La, Michel Chamberland
Pistes de ski de fond au Québec, Les, C. Veilleux et B. Prévost
Planche à voile, La, P. Maillefer
* **Pour mieux jouer, 5 minutes de réchauffement,** Yves Bergeron
* **Programme XBX de l'aviation royale du Canada**
Puissance au centre, Jean Béliveau, Hugh Hood
Racquetball, Le, Jean Corbeil
Racquetball plus, Jean Corbeil
** **Randonnée pédestre, La,** Jean-François Pronovost
Raquette, La, William Osgood et Leslie Hurley
Règles du golf, Les, Yves Bergeron
Rivières et lacs canotables du Québec, F.Q.C.C.
* **S'améliorer au tennis,** Richard Chevalier
Secrets du baseball, Les, C. Raymond et J. Doucet
Ski nautique, Le, G. Athans Jr et A. Ward
* **Ski de randonnée, Le,** J. Corbeil, P. Anctil, D. Bégin
Soccer, Le, George Schwartz
* **Squash, Le,** Jean Corbeil
Squash, Le, Jim Rowland
Stratégie au hockey, La, John Meagher
Surhommes du sport, Les, Maurice Desjardins
Techniques du billard, Pierre Morin
* **Techniques du golf,** Luc Brien, Jacques Barrette
Techniques du hockey en U.R.S.S., André Ruel et Guy Dyotte
* **Techniques du tennis,** Ellwanger
* **Tennis, Le,** Denis Roch
Terry Fox, le marathon de l'espoir, J. Brown et G. Harvey
Tous les secrets de la chasse, Michel Chamberland
Troisième retrait, Le, C. Raymond, M. Gaudette
Vivre en forêt, Paul Provencher
Vivre en plein air, camping-caravaning, Pierre Gingras
Voie du guerrier, La, Massimo N. di Villadorata
Voile, La, Nick Kebedgy

Imprimé au Canada/Printed in Canada

2